la maison
retrouvée

**Castor Poche
Collection animée par
François Faucher et Martine Lang**

Titre original :

FRAN ELLEN'S HOUSE

Pour Zack Rogow, affectueusement

Une production de l'Atelier du Père Castor

MARILYN SACHS

la maison
retrouvée

traduit de l'anglais (États-Unis) par
ROSE-MARIE VASSALLO

illustrations de
BÉATRICE SAVIGNAC

Castor Poche Flammarion

Marilyn Sachs, l'auteur, est née à New York. Elle s'est occupée pendant une dizaine d'années de la section « Livres pour enfants et adolescents » à la bibliothèque municipale de Brooklyn, avant d'exercer la même fonction à l'autre bout des États-Unis, à San Francisco en Californie où elle vit avec son mari sculpteur et leurs deux enfants. Aujourd'hui, Marilyn Sachs se consacre entièrement à son métier d'écrivain. Les nombreux livres qu'elle a écrits ont recueilli toutes sortes de récompenses et surtout un franc succès auprès de son public de jeunes lecteurs.

Marilyn Sachs a écrit *La Maison retrouvée* plus de quinze ans après *La Maison en danger* — sur l'instance de ses lecteurs, qui ne cessaient de lui demander ce qu'il était advenu de Fran Ellen et des siens. « Alors, explique-t-elle, j'ai décidé d'écrire cette suite afin de découvrir moi-même la réponse ». A quoi elle ajoute cet aveu : « J'ai pour Fran Ellen, Flora, Felice et les autres membres de cette famille plus de tendresse que pour tous les autres personnages de mes romans. J'ai eu de la peine pour eux lorsque tout allait mal, j'ai eu le cœur en fête pour chacune de leurs joies. J'ai trouvé infiniment bon de les aider à s'en sortir... »

Du même auteur, dans la collection Castor Poche :

Du soleil sur la joue, n° 7.

Une difficile amitié, n° 28.

Le Livre de Dorrie, n° 57.

Prochain rendez-vous dans le pot de fleurs, n° 143.

Chien perdu, n° 226.

La Maison en danger, n° 309.

Rose-Marie Vassallo, la traductrice, avoue sa profonde admiration pour l'auteur.

« En écrivant *La Maison retrouvée* près de seize ans après *La Maison en danger*, Marilyn Sachs peut difficilement se faire accuser d'avoir cherché à exploiter le succès de ce dernier, travers commun à bien des suites de roman qui sentent fortement le « filon ». Il est vrai qu'elle n'a rédigé ce récit que lorsqu'elle l'a senti mûr en elle, et non pas pour plaire, ni même pour céder aux instances de ses lecteurs. Et c'est ce qui nous vaut ce petit roman chaleureux, optimiste mais sans concessions — portrait étonnamment crédible d'un brin de femme qui ne manque pas de ressources et qui sait déjà, mieux que tant d'adultes, faire avec le peu qu'elle a. « Dernier détail appréciable : on peut lire ce récit — et l'aimer — sans avoir lu (encore) *La Maison en danger.* »

Béatrice Savignac, l'illustratrice, est atteinte depuis son plus jeune âge d'une véritable boulimie de livres et particulièrement de livres avec des images. Alors créer à son tour des images pour les livres, quel plaisir !

Après avoir goûté à la vie parisienne pendant douze ans, elle habite maintenant à Compiègne, à proximité de la forêt, et tente de partager équitablement son temps entre son fils qui, pour aider sa maman, fait des dessins pour les « zéditeurs », son bébé qui machouille les crayons pour se faire les dents, son mari, et bien sûr l'illustration.

La Maison retrouvée

Tout va redevenir « comme avant », Fran Ellen en est sûre. Maman est guérie, la famille à nouveau réunie... Oui, tout sera bientôt parfait, même si la petite sœur adorée tarde à se laisser réapprivoiser, même si la Maison des Ours a durement souffert de ces deux ans d'abandon forcé.

Mais hormis ses sœurs (qui sont toujours des pestes), rien n'est plus comme avant, Fran Ellen s'en aperçoit vite. Le plus dur sera de l'accepter, et d'accepter de grandir — avec humour, et sans se laisser abattre.

Août

*P*etit Ours pleure à chaudes larmes.
Je le prends dans ma main et j'essaie
de le consoler :
— Pleure pas, Petit Ours. Regarde, je
suis là. Je suis de retour. Pour toujours.
A partir de maintenant, tout sera comme
avant.

Il ne m'entend pas. Il hurle :
— Maman ! Je veux ma maman ! Où elle
est, ma maman ?

Je la cherche des yeux. La pauvre !
Elle est par terre, à plat ventre sous la
table de la cuisine. Vite, je la relève et...
Horreur ! Elle a la tête fêlée, là, sur le
côté. Une vilaine craquelure. Et son
museau est noir de poussière. Et elle

7

*n'est pas de bonne humeur, non plus.
Sitôt debout, elle s'en prend à Petit
Ours :*

*— Tu vas te taire, oui, un peu ? Je n'ai
pas assez à faire, peut-être, dans l'état
où est cette maison ! Tu crois que j'ai
besoin de t'entendre brailler en prime ?*

J'essaie de la calmer :

*— Mais je suis là, moi, Maman Ourse.
Je suis de retour. A nous deux, tu vas
voir, on n'en aura pas pour longtemps à
tout remettre en état.*

Mais elle ne m'entend pas.

*— Moi je m'ennuie, pleurniche Petit
Ours. J'ai plus personne pour jouer. Je
veux revoir Boucle d'Or et je veux revoir
Fran Ellen.*

*Maman Ourse est si furieuse qu'elle
manque de m'échapper des mains.*

*— Fran Ellen ? Ah ! parlons-en, de celle-
là ! Une menteuse, voilà ce qu'elle est.
Tout juste bonne à vous laisser tomber.
Elle l'avait promis, pourtant, qu'elle s'oc-
cuperait de nous ! Elle avait promis de
revenir vite, elle disait qu'il y aurait
quelqu'un pour veiller sur nous ! Et voilà
le résultat. Hein ! Regarde !*

Alors je murmure, le cœur gros :

— *Ce n'est pas de ma faute, Maman Ourse. J'ai fait ce que j'ai pu, je t'assure. Ce n'est pas de ma faute.*

— Fran Ellen, tu crois que c'est le moment ? Laisse cette maison de poupées et viens donc nous aider !

Cette voix, c'est celle de Maman. Ma mère à moi, pas Maman Ourse. J'ai intérêt à ne pas traîner. Vite, je remets les ours en place et je cours à la cuisine.

Penchée sur un grand carton, Maman déballe de la vaisselle. Perché sur un escabeau, mon frère Fletcher range des assiettes sur une étagère. Assise par terre à leurs pieds, ma petite sœur Flora pleurniche.

— Emmène-la quelque part, n'importe où, me dit Maman. Qu'elle ne soit pas dans nos jambes. J'ai demandé à Florence et Felice de la garder mais elles ont disparu — va savoir où. (Elle écrase quelque chose sous sa semelle.) Saleté ! Encore un cafard ! Dans cette maison, il y en a partout.

— Florence a dit qu'elle descendait la poubelle, explique Fletcher de cette grosse voix grave qui ne lui ressemble

pas du tout. Peut-être que Felice l'a suivie.

Fletcher, ça faisait plus d'un an que je ne l'avais pas vu. Il a rudement grandi et il a même un début de moustache. C'est un peu gênant à voir, ce duvet qui lui donne l'air mal débarbouillé. Et cette grosse voix fait tout drôle aussi. Maman n'a pas tellement changé ; elle est juste un peu plus grosse et plus vieille, c'est tout.

— Moi j'veux aller à la maison, vagit Flora. J'veux aller à la maison.

Elle a trois ans, Flora, trois ans et un mois. Elle aussi, ça faisait longtemps que je ne l'avais pas vue. Mais c'est toujours ma petite sœur à moi, ma petite sœur adorée, avec des tas de boucles blondes tout autour de sa tête ronde. Elle a des yeux bleus, immenses, pleins de larmes en ce moment.

— Moi j'veux aller à la maisooon !

Je la prends dans mes bras, je l'emporte dans notre chambre, celle où Maman dit qu'on dormira toutes deux, elle et moi.

— Mais tu y es, à la maison, Flora. La

11

maison, c'est ici, maintenant. On habite
tous ici. Tous ensemble.

Mais elle se débat dans mes bras
comme un gros poisson glissant.

— Nooon ! Moi j'veux aller à la maison !
— Ecoute, Flora. (Je m'assieds sur mon
lit, j'essaie de la bercer ; elle aimait
qu'on la berce, avant.) Ecoute. La maison, tu y es, puisque tu es avec moi. Tu
comprends ? Tu es avec Fran Ellen. Et
avec Maman, et Fletcher, et Felice, et

Florence. C'est ça, la maison, maintenant. D'accord ?

— Non ! crie Flora.

Elle se libère d'une secousse, se plante devant moi. On dirait qu'elle ne sait même pas qui je suis, on dirait qu'elle me déteste. Elle répète à travers ses larmes :

— Moi j'veux aller à la maison. Avec tante Helen et oncle Jeff. Et Susie et Bobbie. J'veux aller à la maison.

J'essaie de la reprendre dans mes bras.

— Mais ce n'était pas ta vraie maison, tu sais. Tu habitais chez les Carter parce que Maman était malade et que Papa... Papa, on ne sait pas où il est, personne ne sait où il est passé. C'est pour ça qu'on t'avait placée chez les Carter.

— Non ! (Elle secoue la tête et ses petites boucles dansent.) Non. C'est pas les Carter. C'est tante Helen et oncle Jeff et Susie et Bobbie.

— Carter, c'est leur nom de famille, j'essaie de lui expliquer. Et nous aussi, on était placés dans des familles. Felice et Florence étaient chez des gens qui s'appelaient les McCabe ; et Fletcher est allé d'abord chez les Franklin, puis chez les Petrini. Moi, j'ai changé trois fois. D'abord je...

Mais Flora ne m'écoute pas. Elle pleure qu'elle veut aller à la maison, c'est tout ce qu'elle sait dire. Pour finir, elle grimpe sur le lit, s'y recroqueville et s'endort. Elle est toute petite encore, je sais bien. Il lui faudra du temps pour s'habituer à nous. Je suis sûre qu'un jour on s'entendra bien, elle et moi. Je suis sûre qu'on s'amusera, toutes les deux. Et quand elle sera habituée à nous, c'est moi qu'elle aimera le mieux. Comme avant.

Je retourne à la cuisine.

Maman est assise à la table, le front dans une main. Du haut de son escabeau, Fletcher la regarde, soucieux.

— Maman ? Quelque chose qui ne va pas ? Tu as mal ?

— ... Migraine, dit Maman.

Fletcher descend de l'escabeau. Il

rejoint Maman, lui pose une main sur l'épaule.

— Tu as pris tes comprimés, dis, Maman ?

Maman a des comprimés à prendre. Tous les jours. Pour garder le moral. Si elle oubliait de les prendre, elle retomberait malade. Elle n'aurait plus qu'à retourner à l'hôpital.

— Je les ai pris, dit Maman. N'empêche que j'ai la migraine. Peut-être parce que j'ai mal dormi cette nuit.

— Tu es fatiguée, voilà tout, assure Fletcher. Tu ne sais pas ? Tu devrais aller t'étendre. Fran Ellen et moi, on va finir de ranger tout ça. Ne t'en fais pas.

Je suis tout à fait d'accord :

— Oui, tu devrais aller t'étendre. Tu vas voir, Fletcher et moi, on va te faire la maison toute belle.

Maman se tourne vers moi et sourit presque. Mais juste à ce moment-là, Florence et Felice arrivent en trombe, tout émoustillées.

— Maman ! crie Felice. Devine ! Florence et moi, on a pris l'ascenseur ! Pour descendre ET pour monter !

— Vous avez descendu la poubelle ? coupe Fletcher.

— 'Videmment qu'on l'a descendue, ta poubelle, grogne Florence.

Elle s'est peinturlurée de rouge à lèvres et de mascara poisseux mais c'est toujours la même Florence — faux jeton comme pas deux.

— Eh ben, vous avez pris votre temps, dit Fletcher. Nous, pendant ce temps-là, on n'a pas chômé. Et il y a de quoi faire, ici, tu peux me croire. On a besoin de main-d'œuvre.

— Je suis revenue directement, marmonne Florence en me regardant de travers.

C'est toujours la même chose : Fletcher la remet à sa place, et c'est sur moi qu'elle se venge.

— Quand on est arrivées en bas, poursuit Felice de sa petite voix nigaude, il y a un garçon qui nous a dit que quelqu'un venait de jeter un chat par la fenêtre...

Nigaude, Felice l'a toujours été ; nigaude et bien trop ronde. Elle a sept ans maintenant, mais elle est toujours aussi nigaude et ronde.

— Alors, on est sorties pour aller voir, et il y avait un tas de gens et un chat par terre, un chat noir et blanc. Seulement, il était mort, et il avait les yeux comme ça...

Felice roule les yeux comme un lapin stupide. Maman laisse échapper un soupir et se frotte le front d'une main.

— En tout cas, maintenant, ordonne Fletcher, vous restez ici toutes les deux. Maman est fatiguée ; c'est nous qui allons finir de tout ranger. Désolé, Florence, mais pour une fois tu n'y couperas pas.

— Dis donc ! aboie Florence. T'es un peu gonflé, toi ! J'ai descendu la poubelle, je te rappelle. Et après il a bien fallu que je surveille Felice, Maman se serait fâchée si je l'avais laissée se balader toute seule. Demande à Fran Ellen de t'aider un peu. Elle, elle fait toujours tout ce qu'elle veut et tu lui dis jamais rien.

Sur ce, elle m'allonge un coup de coude, comme autrefois, quand on habitait Pierce Street. Elle s'imagine que je vais la laisser faire, parce que je ne rendais pas les coups, avant. Oui mais voilà, j'ai changé.

Je lui décoche une bonne gifle :

— Tiens, prends ça pour la peine.

— Quoi ? rugit Florence. Tu me tapes dessus, maintenant ?

— Parfaitement ! Et la prochaine fois, je cognerai deux fois plus fort. Tu ferais mieux de te méfier.

— Maman ! piaille Felice. Fran Ellen tape sur Florence ! Maman !

Elle criaille et Florence criaille et je crois bien que je criaille aussi.

Maman gémit très bas et s'enfouit le visage dans les mains. Alors Fletcher m'empoigne d'une main, il empoigne Florence de l'autre et il se met à secouer. Il est tellement furieux qu'il crie plus fort que nous trois.

— Vous arrêtez, oui ? (Toujours cette grosse voix.) C'est pas bientôt fini, vous deux ? Et toi aussi, Felice, boucle-la. Regardez ce que vous faites à Maman. Non mais, ça vous prend souvent ? (Il secoue à nous en arracher les bras.) Vous voulez qu'on se retrouve tous...

Qu'on se retrouve où, il ne le dit pas. Inutile. Tout le monde a compris, même Felice. Non, personne ne veut se retrouver où que ce soit. Chacun se tait et se met au travail. Flora ne s'est pas réveillée.

Ranger ne prend pas si longtemps. Cinq ou six cartons à vider, c'est tout. Nous ne sommes pas si riches.

— D'après Mme Rutherford, on devrait nous apporter deux ou trois meubles la semaine prochaine, dit Maman en contemplant ce qui deviendra le séjour : une grande pièce vide avec une moquette verte, sale et râpée au milieu, propre et comme neuve sur les bords.

— Apparemment, dit Fletcher, il devait y avoir un canapé, dans ce coin. On voit encore la trace. Et sûrement, ici, il y avait un buffet ou quelque chose.

— On devrait mettre nos meubles au milieu, suggère Felice. Là où c'est tout usé. Parce que c'est bien plus joli dans les coins.

Personne ne dit mot. Comment peut-on être aussi nigaude ?

— Enfin, soupire Fletcher, au moins on

a des lits. Et une table. Et quelques chaises dans la cuisine.

— Moi, mon matelas est plein de bosses et de creux, se plaint Florence. Celui de Fran Ellen est bien mieux.

Fletcher lui jette un regard noir, mais Maman se sent mieux et elle dit :

— Ce qui compte, c'est d'être ensemble. Tous ensemble.

Je m'empresse d'approuver :

— Oui, c'est ce qui compte le plus.

Pas question de proposer à Florence d'échanger son lit contre le mien. Le mien, il est dans la même chambre que celui de Flora, le plus petit lit de la maison. Si je disais que je veux bien changer, je parie qu'on laisserait les lits où ils sont, et que ce serait Florence qui dormirait avec Flora. Jamais de la vie. Qu'elle garde son lit à creux et à bosses.

Flora se réveille et se met à pleurer.

— Oh non, gémit Maman. Elle ne sait donc que pleurer ?

Mais je m'élance déjà.

— T'inquiète pas, Maman, j'y vais. Je vais m'occuper d'elle.

Flora est assise sur son lit. Elle

pleure. Elle est toute rouge d'un côté —
du côté où elle a dormi.

— J'veux aller à la maisooon, elle pleurniche, et elle se fourre un doigt dans la
bouche.

Je lui dis d'un ton joyeux :

— Salut, Flora. Tu as vu ma Maison des
Ours ? Regarde : elle sera dans cette
chambre, notre chambre à nous, toi et
moi. Tu la vois ? Elle est un peu abîmée,
mais on la refera toute belle, à nous
deux. Tu te rappelles comme elle était
belle, avant ?

Flora pleure et ne m'écoute pas.

— Non, bien sûr, tu ne peux pas te
rappeler, tu étais trop petite.

J'essaie de la prendre dans mes bras,
mais elle se dégage d'un coup sec et va
se blottir contre le mur, aussi loin de
moi qu'elle le peut.

— Tu sais, avant, c'était la plus belle
maison de poupée du monde. C'est ma
maîtresse d'il y a deux ans qui me l'a
donnée. Miss Thompson.

Ce n'est plus la plus belle maison de
poupée du monde. Quelqu'un a cassé la
cloison entre la cuisine et le séjour. Il
n'en reste qu'un morceau, déchiqueté

en dents de scie. Et quelqu'un — le même ou un autre — a cassé les fenêtres de l'étage, et volé la glacière avec tout ce qu'il y avait dedans. Quelqu'un a défait les lits, et arraché la poignée de cuivre de la porte d'entrée. Et le paillasson minuscule où il était écrit BIENVENUE a disparu aussi... Petit Ours pleure toujours. Je le sors de la maison et le tends à Flora.

— Regarde, Flora. C'est Petit Ours. Il a ton âge, à peu près. Tu peux le prendre dans ta main, si tu veux.

Mais Flora ne s'intéresse pas à Petit Ours. Elle continue de pleurer. Au bout d'un moment, Maman nous rejoint dans la chambre et elle essaie de consoler Flora. Puis Fletcher et Florence nous rejoignent à leur tour, mais Flora pleure toujours. Pour finir, Felice arrive et Flora s'arrête net.

Felice est en train de manger un biscuit, alors je me dis que peut-être Flora en voudrait un aussi. Je cours lui en chercher un à la cuisine. Mais Flora fait non de la tête. Non. Et non. Pourtant elle ne pleure plus, plus du tout. Elle glisse au bas de son lit et suit Felice qui regagne sa chambre. Là, elle s'assoit par terre et, le pouce dans la bouche, elle ne quitte pas Felice des yeux.

Fletcher dit que Felice est du même âge que Susie Carter, et que c'est peut-être ce détail qui attire Flora. Surtout que Susie Carter est toute ronde elle aussi. C'est idiot parce que, avant, au temps où on habitait tous ensemble, c'était moi que Flora aimait le mieux. Un de ses premiers mots, ça a été « Fra Fra ». Fra Fra, c'était moi. Fran Ellen. En plus, Felice n'avait aucune patience pour elle. Elle n'a pas changé, d'ailleurs.

— Maman ! Flora me suit partout et elle arrête pas de me regarder. Dis-lui d'arrêter.

Mais Maman dit à Felice d'essayer d'être gentille avec Flora.

Peu après, Maman et Fletcher s'en vont faire les courses ensemble. Florence disparaît je ne sais où. Flora suit Felice comme son ombre. Mais moi, elle ne me laisse même pas l'approcher. Tant pis. Il lui faudra du temps, je pense, pour vraiment s'habituer à moi.

Alors je retourne dans ma chambre,

je m'assois par terre devant la Maison des Ours et je commence à remettre les choses en place.

Papa Ours a disparu. Il n'est nulle part dans la maison. Dans le grand sac en plastique où Mme Rutherford a fourré tous les accessoires, peut-être ? Tout juste. En farfouillant bien je le retrouve là, tout au fond, avec une espèce de jupette ridicule autour du ventre, une de ces jupes en feuilles vertes que portent les danseuses de *hula*, sur les images. C'est ridicule, surtout que Papa Ours, qui est en porcelaine comme les autres, a ses habits peints sur lui. Je me retiens de rire, parce qu'il se vexerait. On n'a pas idée de le déguiser comme ça !

Vite, je le déshabille et je le remets dans la maison — à l'étage, avec sa femme et son petit. Il est si furieux qu'il en a perdu sa langue. Maman Ourse se tourne vers lui :

— *Ah ! te voilà, toi ? C'est pas trop tôt !*
Tu exagères un peu, tu sais, de disparaî-
tre comme ça juste au moment où on a
besoin de toi !

— *Ils m'avaient mis une jupe en feuilles !*
rugit Papa Ours. Une jupe de danseuse
de hula *!*

— *De mieux en mieux ! s'écrie Maman*
Ourse. Autrement dit, tu es allé à
Hawaii ! Jamais je n'aurais cru ça de toi
— et pourtant je te connais, va. Je la
connais, ta façon de n'être jamais là
quand il le faudrait. Eh bien maintenant,
regarde ! Regarde ce qui nous est arrivé,
à nous, pendant que Monsieur se payait
du bon temps allez savoir où !

Une fois de plus, Papa Ours reste là,
sans voix, alors j'explique à sa place :

— *Non, Maman Ourse. Tu te trompes. Il*
n'était pas en train de s'amuser, il était
au fond du sac. C'est des enfants du
foyer qui lui avaient mis une jupe de
hula *— tu sais bien, le foyer d'Aide*
sociale. Ce n'est pas sa faute à lui,
Maman Ourse. Ni la mienne. Moi non
plus je n'ai pas pu faire autrement.
Aucune des familles où on m'a placée
n'a voulu que je vous prenne avec moi.

26

Et Mme Feingold, la dame de l'Aide sociale, disait qu'il valait mieux que je laisse la maison au foyer. Elle disait qu'elle prendrait soin de vous, qu'elle ferait très attention. Seulement, c'était il y a deux ans, et après ça elle n'a pas dû rester longtemps, parce qu'ensuite il y a eu M. Holland et Mme Johnson et maintenant c'est Mme Rutherford. Alors tu penses, avec tous ces changements... N'empêche, ce n'est pas sa faute, à Papa Ours, et pas la mienne non plus.

Maman Ourse ne m'entend pas. Déjà, autrefois, ils ne m'entendaient pas toujours, pas du premier coup. Quand j'aurai commencé à ranger, sûrement, ils s'apercevront que je suis là.

Petit Ours reprend ses jérémiades :

— Moi j'ai personne avec qui jouer ! D'abord, où elle est, Fran Ellen ?

— Fran Ellen ? dit Maman Ourse. Je ne veux plus entendre parler d'elle, c'est compris ?

— Moi non plus, gronde Papa Ours. Plus jamais. Que personne ne prononce ce nom dans cette maison.

— Dites ! je m'écrie en posant le front contre le rebord du toit. Laissez-moi

vous expliquer ce qui s'est passé, au moins !

Rien à faire. Ils ne m'entendent pas. J'ai horreur de ça, qu'on ne m'entende pas.

— *Et Boucle d'Or ? pleurniche Petit Ours. Où elle est, Boucle d'Or ? Moi je veux jouer avec elle.*

— *C'est ma foi vrai, dit Maman Ourse. Où est passée Boucle d'Or ? Encore disparue, à ce que je vois. Comme d'habitude. Oh, mais elle va m'entendre, tiens, quand elle reviendra !*

— *Bou-cle-d'Or ! appelle Papa Ours de sa grosse voix.*

— *Bou-cle-d'Or ! appelle Maman Ourse de sa voix de maman.*

Et moi j'appelle de ma voix normale :
— *Bou-cle-d'Or ! Houhou, Boucle d'Or !*

Une fois de plus, je farfouille dans le sac où était Papa Ours. Mais Boucle d'Or n'y est pas. Il n'y a là que deux ou trois chaises de poupée, hideuses, faites avec des cure-pipe, et d'horribles assiettes de dînette en plastique rose. Il faudra que je jette tout ça. Mes ours n'ont rien à faire de ce bric-à-brac.

Mais où peut bien être Boucle d'Or ? Je déplace la maison, je la soulève. Rien. Boucle d'Or a disparu. Sûrement un gosse du foyer qui l'aura fourrée dans sa poche. C'était elle la plus jolie, dans la Maison des Ours, avec ses cheveux blonds peints sur sa tête de porcelaine et ses yeux bleus qui s'ouvraient et se fermaient.

Je retourne auprès des Ours et je leur annonce la mauvaise nouvelle.
— Boucle d'Or est introuvable. Je ne sais pas où elle est.
Mais ils ne m'entendent pas.
— Elle reviendra, dit Papa Ours à Maman Ourse et elle lui sourit.
Elle l'aime vraiment, je crois, son gros patapouf de mari. Elle soupire :
— Oui, elle reviendra, j'en suis sûre. L'important, c'est que tu sois là. Que nous soyons enfin ensemble.
— Moi j'ai faim ! dit Petit Ours. Une faim de loup. Si on mangeait ?
Mais la glacière a disparu aussi, j'avais oublié ce détail. Elle était bien garnie, pourtant — toute pleine de tartes et de dinde et de fromages, avec du gâteau à

la fraise et du maïs en épi... Maintenant, il n'y a plus rien du tout.

— Je veux manger ! trépigne Petit Ours.

Dans le sac en plastique, rien non plus. Juste la jupe en feuilles vertes, les chaises en cure-pipe, les assiettes de dînette en plastique.

La misère.

— Je meurs de faim ! s'impatiente Petit Ours. Je mangerais n'importe quoi, tellement j'ai faim.

Je n'ai pas le choix. Je déchiquette les feuilles de la jupe de hula et je pose les morceaux, comme des épinards, sur la table de la cuisine. La nappe rouge et blanc a disparu aussi, et il ne reste plus une chaise. Maman Ourse ouvre les placards, elle regarde partout, elle cherche.

— Et où est donc passée ma vaisselle ? Mes assiettes de porcelaine, mon service de verres ? (Elle a des larmes dans la voix.) Et les chaises, où sont les chaises ?

Que faire ? Je rouvre le sac en plastique, j'en sors les chaises en cure-pipe et les vilaines petites assiettes roses, et je commence à mettre la table.

— Patience, je dis à Maman Ourse. Pour

le moment, c'est tout ce que je peux pour vous.

Mon arrangement ne lui plaît guère, mais elle a une famille à nourrir. Elle répartit les morceaux de feuilles dans les assiettes et elle appelle :

— A table ! C'est prêt !

Petit Ours se précipite. Il ne fait pas attention aux chaises, mais il a vite fait de repérer ce qu'il a dans son assiette.

— Berk, qu'est-ce que c'est que ça ? On dirait de l'herbe !

Papa Ours tord le nez.

— De l'herbe ! Comme si on mangeait de l'herbe, nous autres ours ! Et cette verdure me rappelle quelque chose. Quelque chose de détestable, je ne sais pas quoi.

Maman Ourse met les poings sur les hanches :

— Oui, eh bien, vous allez me faire le plaisir de vous asseoir à table et de manger tout ce qu'il y a dans votre assiette, vous deux. Un peu de verdure vous fera du bien, et puis c'est bourré de vitamines. Et dites-vous que vous avez de la chance d'avoir de quoi vous mettre sous la dent — pensez à tous ceux qui ont faim.

Je commence à avoir faim moi aussi, et justement j'entends des bruits dans la cuisine. Ce sera notre premier repas ensemble depuis... depuis deux ans et deux mois. Je fonce proposer mon aide.

Septembre

Ma nouvelle école est comme toutes les autres. En pire même, je dirais. Il n'y a qu'un seul cours où j'arrive à ne pas m'endormir : le cours de sciences. Et pourtant, les sciences, ça me barbe.

Comme professeur, en principe, on avait M. Goodman — un vieux bonhomme dur d'oreille. On l'a eu la première semaine. Il était tellement casse-pieds que personne ne l'écoutait. Personne ne faisait même semblant d'écouter. Dans ma classe, il y a une espèce d'énergumène qui est tout petit, tout maigre, avec de gros yeux de poisson. Il est assis juste derrière moi et il n'arrête pas de gigoter et de donner des coups de pied dans ma chaise. Si fort que je suis obligée de lui dire d'arrêter.

— Arrêter quoi ?

— De donner des coups de pied dans ma chaise.

— Qui donne des coups de pied dans ta chaise ?

Il roule des yeux ronds, comme s'il cherchait le coupable. Moi, ça ne me fait pas rire.

— Arrête à la fin ! je lui dis, pour la vingtième fois au moins.

Et pendant ce temps-là M. Goodman débite son boniment sur l'air, ou l'atmosphère, ou quelque chose d'aussi rasoir.

— Tu t'appelles comment ? demande Z'yeux-de-poisson dans mon dos.

Je ne me retourne même pas. Hausser les épaules suffit bien.

— N'importe comment je le sais, comment tu t'appelles...

La belle affaire ! Moi aussi, je sais son nom. Il s'appelle Joseph Rupp.

— Tu t'appelles Fran Ellen Smith, et je connais ton frère Skipper.

— J'ai même pas de frère qui s'appelle

34

Skipper, je lui dis en me retournant pour le regarder de travers. Et arrête de donner des coups de pied dans ma chaise.

Mais l'autre jour, en salle de sciences, M. Goodman n'était pas là. On l'a attendu pendant un quart d'heure, vingt minutes, et au bout d'un moment le zouave qui est assis derrière moi s'est levé, il est venu se mettre face à la classe et il nous a dit qu'à son avis M. Goodman s'était suicidé.

— Et comment ? a demandé quelqu'un.

— Il s'est jeté du haut d'un pont, a dit Z'yeux-de-poisson.

Il a grimpé sur le bureau, il s'est pincé le nez et il a sauté.

Toute la classe s'est tordue de rire, sauf moi. Complètement maboul, celui-là.

Mais lui, il reprenait déjà :

— Ou il s'est tiré une balle dans la tête.

La main en pistolet, il a fait mine de se tirer une balle dans la tempe. Puis il a traversé la pièce en titubant, pour aller s'effondrer sur le bureau du prof juste au moment où la porte de la classe s'ouvrait.

C'était M. Raphael, le sous-directeur. Il a levé les sourcils.

— Joey Rupp ! On peut savoir ce que tu fais là ?

— Moi ? Oh rien, M'sieur. Rien du tout. Je... Je venais pour tailler mon crayon et je me suis emmêlé les pieds...

— Intéressant, a dit M. Raphael. Et le plus curieux, c'est que le taille-crayon est là-bas, au fond de la classe.

Toute la classe s'est écroulée. Même moi. Joey Rupp s'est dépêché de retourner à sa place.

— Silence, a dit M. Raphael. Je suis au regret de vous annoncer que M. Goodman a été rappelé chez lui d'urgence, sa femme étant gravement malade. Vous avez donc une permanence pour tout le reste de l'heure. Quant à toi, Joey Rupp, tu vas me suivre dans mon bureau ; j'ai des dizaines de crayons que tu te feras un plaisir de tailler.

Le lendemain, on a eu une remplaçante, Mme Carpenter. Elle est très jeune et très nerveuse, même si elle fait semblant d'être sévère quand elle nous parle. En vérité, personne n'a peur d'elle. On l'a depuis dix jours à peu près.

— M. Goodman ne reviendra pas ce trimestre, murmure Joey Rupp dans mon dos.

Je ne réponds pas, mais ça lui est égal. Il faut qu'il parle, c'est plus fort que lui.

— Ils sont en prison, sa femme et lui. Tu sais pourquoi ? Ils étaient à la tête d'un gigantesque trafic de drogue...

— Joseph Rupp, coupe Mme Carpenter de sa voix sévère. Pourrais-tu nous nommer les différentes couches de l'atmosphère ?

— Euh ! non, dit Joey Rupp très poliment. Non, désolé, je peux vraiment pas.

Mme Carter n'arrête pas de nous téléphoner. Si c'est moi qui décroche la première, je lui dis que je suis toute seule à la maison, alors elle raccroche. Mais presque toujours quelqu'un décroche avant moi.

— Elle exagère, je dis à Maman. A quoi ça l'avance d'appeler tout le temps comme ça ? Si elle se figure qu'elle arrange les choses !

Mais Maman prend sa défense.

— C'est une dame très gentille, tu sais. Elle aime beaucoup Flora. Et tu vois bien que Flora aussi tient à elle.

— Oui, mais justement. Moi, je trouve ça idiot de laisser Flora aller chez elle en week-end. Après ça, tu verras, elle voudra rester là-bas. Ce qu'il faudrait, c'est qu'elle les oublie. Sinon, jamais elle ne s'habituera à nous.

Maman est assise sur le canapé du séjour. Nous avons des meubles, maintenant : un canapé marron, qui se déplie le soir pour faire un lit à Fletcher ; un fauteuil bleu, et une table basse avec toutes sortes de taches impossibles à enlever. On a aussi une télé — un petit poste posé sur une grande table. Maman regarde une émission, justement. Une belle dame en robe moulante sirote je ne sais quoi dans un grand verre avec des glaçons, et elle rit en levant les yeux vers un grand beau monsieur. Maman se met à rire aussi.

— Dis, Maman. Tu ne trouves pas qu'elle exagère, toi ? Elle ne pourrait pas nous laisser tranquilles un peu ?

— Fran Ellen, soupire Maman. Tu ne pourrais pas me laisser tranquille un peu, *toi* ? On voit bien que ce n'est pas toi qui passes tes journées avec Flora, à l'entendre pleurnicher du matin au soir. Tu vas en classe, toi. Tu as la paix. Si tu me laissais la paix à mon tour, je pourrais peut-être profiter de mon week-end ?

Au bout d'un moment, je la laisse à son émission et je vais à la cuisine. Fletcher est à la table, en train de faire ses devoirs. Depuis la rentrée, il passe tout son temps à ses devoirs. L'école, il aime ça. En plus, il est doué.

— Fletcher, je lui dis. Tu sais ce que je pense ? Qu'on ne devrait pas laisser Flora passer le week-end chez les Carter. Tant qu'elle ne les oubliera pas, jamais elle ne s'habituera à nous.

Fletcher lève les yeux de son cahier.

— Habituée à nous, elle l'est déjà, tu sais. Elle mange mieux, elle dort la nuit, et tu vois bien qu'elle aime jouer avec Felice dès son retour de l'école. Simplement, elle est petite. Elle a juste trois ans et, sur ces trois ans, elle a passé plus de temps avec les Carter qu'avec nous, dis-toi bien. Ce serait cruel de la couper d'eux brutalement.

— Oui mais ça la désoriente, tu comprends. Elle croit qu'elle a deux familles. Et c'est eux qu'elle préfère, pas nous.

Et surtout *pas moi*, bien sûr ; mais ça, je le garde pour moi. N'empêche, c'est de la faute des Carter. S'ils nous laissaient tranquilles, Flora les oublierait et elle s'habituerait à moi.

Fletcher devine à quoi je pense, on dirait. En tout cas, il baisse la voix et me parle comme s'il me confiait un secret de la plus haute importance :

— Je vais te dire, Fran Ellen. Pour Maman, c'est très dur de s'occuper de Flora. Je sais, quand tu es là, tu fais de ton mieux pour veiller sur elle, pour que Maman se repose un peu. Et moi aussi, je fais de mon mieux. Mais tu vois bien comment est Flora. C'est avec Felice qu'elle veut jouer, et du coup c'est Felice qui devient insupportable. Résultat : à cause d'elles, Maman a la migraine. En plus, à partir de maintenant, j'irai travailler le week-end à la pizzeria du carrefour, donc je ne serai même plus ici pour vous donner un coup de main. Et Maman a besoin de calme. Si Flora va chez les Carter de temps en temps, peut-être que Maman pourra se reposer.

— N'empêche. C'est crétin. Complètement crétin.

Fletcher soupire. Il ouvre un livre.

— Patience, Fran Ellen. Juste un peu de patience. Tout finira par s'arranger.

Mouais. Tout s'arrangerait bien plus vite si les Carter ne s'en mêlaient pas. Sans eux, tout serait parfait. Ce n'est pas que je sois ravie de me retrouver dans la même chambre que Florence, mais je me dis que c'est provisoire. C'est seulement en attendant que Flora m'accepte à nouveau. Alors elle sera d'accord pour revenir dans ma chambre plutôt que de rester avec Felice.

Fletcher s'est remis au travail. Je regagne ma chambre, ou plutôt celle que nous partageons désormais, Florence et moi. Florence est assise sur mon lit, occupée à se mettre du vernis à ongles.

— Qu'est-ce que tu fabriques sur mon lit ? Dégage !

— Et pourquoi ? dit Florence.

— Parce que c'est mon lit. T'en as même pas voulu, de ce lit, tu as dit qu'il faisait des bosses. Alors maintenant viens pas t'asseoir dessus !

Je le sais, pourquoi c'est toujours sur mon lit qu'elle s'installe. Parce que le sien n'est même pas fait et qu'il est tout encombré, avec des tas de vêtements qui traînent dessus. Alors que je fais le mien tous les matins, comme j'ai appris à le faire chez les Manheimer — ou peut-être chez les Porter, je ne sais plus. En tout cas, mon lit est toujours impeccable, et c'est pour ça qu'elle aime s'asseoir dessus.

Elle allonge le bras pour admirer ses ongles rouge sang et se met à grogner en même temps :

— D'abord, cette chambre est bien trop petite. Sans parler de ton idiotie de maison de poupée, là, qui prend déjà la moitié de la place.

— Idiotie de maison de poupée ! Idiote toi-même, oui.

— J'ai le droit de dire ce que je pense.

Et je dis qu'à douze ans passés il faut être une idiote pour s'amuser encore avec un jouet de bébé.

Elle fait mine de lancer un coup de pied à la Maison des Ours mais elle n'osera jamais. Elle sait trop bien ce qui lui arriverait, si elle le faisait. Sans se presser, elle va s'asseoir sur son lit à elle, par-dessus des tee-shirts froissés. Quelle souillon, alors ! Elle reprend du vernis sur son petit pinceau et passe aux ongles de la main droite.

Florence a seulement dix-huit mois de plus que moi, mais elle fait tout pour avoir l'air bien plus vieille. Son anniversaire, c'est dans deux mois, le 19 novembre ; elle aura quatorze ans. Fletcher en a eu quinze en juin, Felice en aura huit en janvier prochain. Moi, j'aurai treize ans en avril, et Flora a trois ans et deux mois — elle est de juillet.

Florence étend les mains pour me faire admirer le résultat.

— J'aime bien cette couleur. Qu'est-ce que t'en penses ?

J'étire d'abord mon couvre-lit, tout

fripé là où elle s'est assise. Puis je me retourne et regarde.

— Mouais, pas mal.

— Et j'ai le rouge à lèvres assorti. Tu veux voir ?

Pas spécialement. Je hausse les épaules. Elle se lève et va se regarder dans le miroir au-dessus de la commode. Elle se barbouille de rouge à lèvres et se retourne avec un sourire de star.

— Alors ? Ton avis ?

D'une main, elle se tapote les cheveux. Je la trouve plutôt jolie, mais je ne vais sûrement pas le lui dire.

— Mouais, pas mal.

Je m'assois par terre sans bruit et je regarde à l'intérieur de la Maison des Ours. Ils sont tous les trois au lit. Je n'ai presque pas eu le temps de m'occuper d'eux, depuis qu'on habite ici, j'ai eu beaucoup trop à faire — essayer d'apprivoiser Flora, aider Maman, aller à l'école... Mais j'ai quand même trouvé le moyen de remettre leurs lits en état. Maman avait un vieux tablier à fleurs, rouge et vert, tout déchiré, et elle a dit que je pouvais le prendre. Je leur en ai fait des draps, des oreillers et même des couvertures d'été, le tout en un après-midi. J'ai dit à Flora qu'elle pouvait m'aider, mais elle n'a pas voulu.

— Je vais à une soirée, tout à l'heure, m'annonce Florence. Il y aura Brian.

Elle s'envoie un sourire dans le miroir. Elle sourit souvent depuis quelque temps — surtout dans les miroirs. Elle s'est fait deux amies, Carol et Joyce. Elles habitent toutes les deux ici, dans notre immeuble, Carol au deuxième, Joyce au cinquième. Nous, on est au quatrième. Ce serait facile pour elles de se retrouver chez l'une ou chez l'autre, mais non, la plupart du temps c'est au téléphone qu'elles bavardent ; elles y restent pendues des heures. Il y a aussi un garçon que Florence aime bien, Brian justement. Mais il ne l'appelle pas au téléphone. Florence aimerait bien, pourtant. Elle n'arrête pas de parler de lui, surtout avec ses amies, au téléphone.

— Ce que tu peux être cloche avec tes chichis, je lui dis.

Elle rit.

— Bah ! tu verras, tu seras pareille quand tu auras mon âge. Quand tu auras fini de faire la bécasse avec ton idiote de maison de poupée.

— *L'hiver approche, dit Maman Ourse. Il va nous falloir des couvertures chau- des, et des rideaux à ces fenêtres.*
— *J'en ai marre de rester au lit, ron- chonne Petit Ours. Je veux quelqu'un avec qui jouer.*
— *Mais je suis là, moi, Petit Ours. C'est moi, Fran Ellen. On peut jouer, si tu veux.*

Il ne m'entend pas. Il pleurniche :
— *Moi, je veux jouer avec Boucle d'Or. Où est-ce qu'elle est, d'abord, Boucle d'Or ?*

Voilà que Flora mouille son lit. Tous les matins son matelas est trempé. Maman se met en colère et crie. Juste ce qu'il ne faudrait pas. Flora est toute petite ; elle ne le fait pas exprès.

C'est bien ce que répète l'assistante sociale chaque fois qu'elle vient. Je les entends discuter toutes deux à mi-voix dans la cuisine, Maman et elle, et je sais ce que dit Mme Rutherford : qu'il faut être patient avec Flora. Très, très patient.

Ensuite, Mme Rutherford nous demande à tous comment nous allons. « Très bien », je lui réponds, et Fletcher aussi. Mais Florence se plaint de n'avoir rien à se mettre, surtout pour aller en classe, et Mme Rutherford dit qu'elle verra ce qu'elle peut faire. Felice se plaint de Flora. Elle dit à Mme Rutherford que Flora la suit partout, et qu'il n'y a pas moyen de dormir la nuit parce qu'elle pleure tout le temps, et pas moyen de la faire taire non plus parce que Maman se fâche, et que c'est elle, Felice, qui se fait gronder pour finir.

Mme Rutherford garde le sourire. Elle dit que nous devons tous essayer d'être très patients, et que tout s'arrangera. Elle dit que Florence a l'air en pleine forme, mis à part son problème de vêtements, et que Fletcher semble aller bien aussi. Et c'est vrai. Fletcher va bien. Son travail à la pizzeria lui plaît, et souvent, les soirs où il travaille, il rapporte de la pizza à la maison. Surtout quand il y a des gens qui commandent une pizza par téléphone et qui ne viennent jamais la chercher. Et en classe aussi, son travail lui plaît. Maman est très fière de Fletcher. Elle dit qu'il fera son chemin dans la vie.

Moi, je ne dis rien à Mme Rutherford, mais je ne vais pas bien du tout. Mon problème, c'est Flora. Elle ne veut pas me voir, elle ne peut pas me supporter, et j'ai beau faire elle me repousse. Je m'étais dit que peut-être elle aimerait jouer à la Maison des Ours, mais non, pas du tout. Et quand j'essaie de la prendre dans mes bras elle se débat et m'échappe. Avec Florence, elle ne le fait pas. Ni avec Fletcher ou Felice. Seulement avec moi.

— Ta Maman Ourse, elle est hideuse, déclare Felice depuis l'entrée de la chambre. Si j'étais toi, je la jetterais à la poubelle.

— Fiche le camp.

Je prends Maman Ourse et pour la centième fois j'essaie de faire disparaître cette vilaine traînée poisseuse dans son cou. A force de frotter, je suis venue à bout des autres taches, mais cette trace noire résiste, il n'y a rien à faire. Maman Ourse a moins triste mine que le jour où je l'ai récupérée, mais bien sûr elle a toujours cette vilaine fêlure sur le côté de sa tête, et ce petit bout de museau qui manque.

— Elle a une drôle d'allure, dit Felice. Dans ma classe, y a une fille qui a un peu cet air-là. Valerie Johnson, elle s'appelle. Sauf qu'elle, sa cicatrice, c'est au milieu de la bouche. Alors elle parle même pas normalement.

— Fiche le camp, je t'ai dit !

Mais j'aperçois Flora derrière elle. Je prends ma voix la plus douce :

— Flora, tu viens ? Tu viens t'asseoir à côté de moi, dis ? Tu verras bien mieux, tu sais. Et tu peux même débarbouiller Maman Ourse, si tu veux.

Flora fait non de la tête. Elle se fourre une main dans la bouche et, de l'autre main, empoigne la jupe de Felice.

— Lâche ça ! s'indigne Felice. Maman, y a Flora qui tire sur ma jupe ! Dis-lui d'arrêter ! Après ça, mes jupes sont toutes tiraillées. Maman !

Je la pilerais, si j'osais.

— Oh ! arrête de brailler, bon sang.

Fiche la paix à Maman, quoi. Et quand même tu serais plus gentille avec Flora, ça ne te tuerait pas, si ?

Felice avance d'un pas.

— Moi, je veux bien la débarbouiller, Maman Ourse. Je peux, dis ?

Je n'y tiens pas, mais c'est ma seule chance d'avoir Flora près de moi. Je soupire :

— Bon, d'accord.

Elle entre en silence et vient s'asseoir près de moi, Flora toujours accrochée à sa jupe. Je lui tends le chiffon, elle se met à frotter. Pauvre Maman Ourse ! Elle fait peine à voir, bien plus que Papa Ours ou Petit Ours. Eux aussi étaient tout crasseux quand je les ai récupérés, mais je n'ai pas eu trop de mal à les faire propres. Petit Ours a perdu de ses couleurs et Papa Ours est un peu écaillé derrière la tête, mais à part ça ni l'un ni l'autre n'a tellement changé.

— Au fait, et Boucle d'Or, où elle est ? s'inquiète soudain Felice en frottant Maman Ourse de toutes ses forces.

— On me l'a piquée.

— M'étonne pas. Elle était si jolie. Je

me rappelle, quand elle dormait dans le lit de Petit Ours, sur l'oreiller de dentelle... Et ces yeux bleus qu'elle avait ! Ils s'ouvraient et se fermaient, je me souviens.

Elle se souvient ? Je l'observe du coin de l'œil. Elle est grande pour son âge, et bien trop grosse à mon avis. En plus, elle est nigaude comme pas deux.

— Raconte pas d'histoires, je lui dis. Toi, te souvenir de trucs d'il y a deux ans ? T'es même pas capable de te rappeler ce qui s'est passé hier, alors... T'es même pas capable de te rappeler que tu as la clé de la maison à ton cou.

Felice rentre de l'école avant nous, parce que son école est plus près. Alors, Maman lui donne une clé pour le cas où elle ferait des courses à l'heure où Felice arrive. Mais Felice a le chic pour perdre cette clé — ou pour oublier qu'elle l'a, bêtement pendue à son cou. C'est ce qui est arrivé pas plus tard qu'hier. Je l'ai trouvée en larmes à la porte. Elle avait la clé à son cou, mais elle ne s'en souvenait plus.

— Si, je m'en souviens ! dit-elle en frottant de plus belle. Même qu'il y avait des tas de meubles, aussi, bien plus que maintenant, dans le séjour. Et une glacière à la cuisine, avec plein de bonnes choses dedans. Oh ! si, je m'en souviens. Je m'en souviens.

D'une main triomphante, elle me tend Maman Ourse. La vilaine traînée noire a disparu.

Flora sur les talons, Felice vient se planter près de moi et me corne à l'oreille :

— Tu devrais leur mettre des meubles, à tes ours.

— Merci du conseil.

Je suis en train de retirer les derniers bouts de verre des fenêtres du rez-de-chaussée, et ce n'est pas une mince affaire. Le travail terminé, je m'attaque au lambeau de cloison entre séjour et cuisine.

— Si t'enlèves ce mur, me prévient Felice, y aura plus de séjour et de cuisine.

— Grosse nouille, je lui dis. Bien sûr

que si, il y aura encore un séjour et une cuisine. Un mur ne change rien à rien. Et d'ailleurs, un de ces jours, j'ai l'intention d'un remettre un.

— Oui, dit Felice. Il faudra en remettre un. Et des vitres aussi, il faudra en remettre. Et d'abord, si j'étais toi, je la repeindrais, cette maison. Parce qu'elle est moche. Tu devrais repeindre les murs en rouge, les murs de dehors. Et dedans, moi je verrais bien la cuisine en jaune. Et le séjour... Hmm, peut-être en rose, et la chambre — la chambre en bleu clair.

Je ne prends pas la peine de répondre. Mais je m'écarte un peu ; Felice postillonne.

— A ta place, avant de le remettre, le mur entre la cuisine et le séjour, je commencerais par le peindre. Jaune côté cusine, et rose côté séjour.

— Bon, mais si tu te taisais, un peu ? Tu me casses la tête, à la fin.

Je retire un grand pan de cloison, et je me plante une écharde dans la main.

— Et après ça, dit Felice, il faudra remettre des tableaux au mur. Au-dessus de la cheminée, par exemple.

(L'espace d'une seconde, elle se tait.)
Hé ! mais où elle est, la cheminée ? Il y
avait une cheminée, là, avant. Même
qu'il y avait un portrait, au-dessus de
la cheminée.

Je lève les yeux de mon écharde.
Sourcils froncés, Felice continue :
— C'était un cadre rond, je me rappelle,
et dedans il y avait la photo d'une fille
avec un grand sourire. Même qu'on
aurait dit que c'était moi.

Et comme pour le prouver elle tourne
vers moi un grand sourire avec deux
dents en moins — deux dents de devant,
en haut. En bas aussi, il lui en manque
une. On voit même la dent neuve qui
perce la gencive comme une petite crête
blanche.
— Ouais, eh ben c'était pas toi, maligne,
je lui dis. Si tu crois que quelqu'un irait
mettre ton portrait au mur ! Non, c'était
ma maîtresse quand elle était petite.
Miss Thompson. C'était son papa qui
lui avait fabriqué cette maison. Pour
son anniversaire. Ce que tu peux être
gourde, quand tu t'y mets, ma pauvre.

Elle n'écoute pas. Elle est trop occupée à faire branler une dent avec sa

langue. Puis elle y met le doigt et reprend, le doigt dans la bouche :

— Tu sais ce que Melissa m'a dit ?

Je n'en sais rien et je m'en moque. Je ferais mieux d'enlever cette écharde. Elle n'est pas enfoncée profond. Si j'arrive à attraper le bout...

— Melissa dit que si on met sa dent sous l'oreiller, la nuit il y a un lutin qui passe et qui vient la prendre, et à la place il met une pièce.

— Fiche-moi la paix.

— Mais moi, mes autres dents, je les ai mises, et j'ai rien trouvé du tout.

— Maligne, je lui dis. Ton lutin, il n'existe pas.

— Melissa dit que si. Mais moi j'ai essayé, et ça n'a pas marché. Celle-là va tomber bientôt, regarde... (Elle la fait basculer très fort.) Mais je crois pas que je la mettrai sous mon oreiller.

Victoire. L'écharde est sortie. Je suce le doigt qui saigne.

— Ce qu'il faudrait, continue Felice, c'est que je la mette sous l'oreiller de Melissa. Peut-être que ça marcherait, tu crois pas ?

Avec Felice, pas moyen de discuter. Elle est vraiment trop nigaude.

Alors ça, c'est trop fort. Je n'en crois pas mes yeux.

Sous l'oreiller de Petit Ours, il y a une énorme dent.

J'appelle Felice. Elle va m'entendre.

— T'es complètement folle ou quoi ? T'as du culot d'aller mettre cette dent dégoûtante dans ma Maison des Ours !

Je jette la vilaine dent à l'autre bout de la pièce et Felice se met à pleurer :

— C'était pour que le lutin la trouve ! Sous mon oreiller, il vient jamais voir.

Si elle se figure qu'elle va m'attendrir !

— Je te défends de toucher à ma Maison des Ours, tu m'entends ?

Cette fois, elle braille pour de bon :

— Mais c'est pas juste. Melissa, quand elle perd une dent, elle a vingt-cinq *cents*. Et Lori Saunders, cinquante !

Par contagion sans doute, Flora se met à pleurer aussi. Elle a un gros rhume et le nez qui coule, et d'énormes larmes lui perlent aux cils.

Et tout à coup elle crie d'une voix claire :

— Méchante, Fran Ellen ! Méchante !

Deux d'un coup. Joli concert. Je dis à Felice de se taire et j'essaie de moucher Flora. Elle me repousse de toutes ses forces, se réfugie contre Felice, enfouit dans son tee-shirt son petit nez mouillé.

— Fran ! rugit Felice. Elle se mouche sur moi ! Dégoûtante ! Dis-lui d'arrêter !

Je me retiens d'exploser.

— Mais vous allez vous taire, toutes les deux ? La paix, quoi.

Flora lève vers moi un petit visage trempé :

— Moi, je la trouve jolie, la dent de Felice.

— Bon, ça va, je lui dis. Je vais la récupérer. On va te la donner si elle te plaît tant. Mais arrête de pleurer.

Je retrouve la dent à l'autre bout de la chambre, sous le lit de Florence. Elle est un peu jaune, parce que Felice ne se brosse pas trop bien les dents. Je l'essuie contre ma manche et la tends à Flora. Elle s'en empare comme d'un trésor et y dépose un petit baiser. Un baiser ! Sur cette vieille dent sale ! Alors que moi je n'y ai jamais droit, je n'ai même pas le droit de l'approcher.

Et puis, d'un geste décidé, elle plonge son petit bras dans la Maison des Ours et elle y fourre la dent. Au beau milieu du séjour.

Felice en oublie qu'elle pleurait. Elle éclate de rire :

— Flora ! C'est complètement idiot, voyons. Les ours n'ont rien à faire d'une dent.

Elle avance la main pour l'enlever, mais Flora proteste à grands cris.

— Non ! Laisse ! Moi, je veux la mettre là ! D'abord ça fait joli. Laisse-la.

— D'accord, je dis à Flora. D'accord, on va la laisser. Si tu trouves qu'elle est bien ici.

C'est la première fois que j'ai l'occasion de lui plaire, je ne vais pas tout gâcher.

— Hein ? Quoi ? Qu'est-ce que c'est que ça ? se récrie Maman Ourse en voyant cette dent. Que vient faire cette horreur au milieu de mon séjour ?

— Euh... Désolée, Maman Ourse, j'essaie de lui expliquer. C'est Felice qui a perdu une dent, et Flora tient absolument à la mettre ici.

Mais elle ne m'entend pas. Elle ne m'entend toujours pas. Est-ce qu'elle finira par m'entendre un jour ? Est-ce qu'un jour les ours voudront bien de moi comme avant ?

Petit Ours entre dans le séjour et vient se planter devant cette dent.

— C'est toi qui as traîné ça ici ? lui demande Maman Ourse, furieuse.

Elle articule moins bien qu'avant, à cause de son museau ébréché. Mais je comprends quand même tout ce qu'elle dit.

— Moi ? s'indigne Petit Ours. C'est toujours moi qu'on accuse !

Je m'éclaircis la voix pour un nouvel essai :

— Ecoutez !

Rien à faire. Ils n'écoutent même pas. Ils tournent autour de cette dent, et je vois bien que Maman Ourse ne supporte pas de la voir là.

Par bonheur, voilà Papa Ours, plein

d'entrain. *Il jette un coup d'œil à la dent et se tourne vers Maman Ourse.*

— *Ah, c'est ça qui t'intrigue, n'est-ce pas ? Tu veux savoir ce que c'est ? Je vais te le dire. C'est moi qui l'ai rapporté de la chasse, la dernière fois que j'y suis allé. C'est de l'ivoire véritable, figure-toi. La dent d'un de ses monstres hideux dont je nous ai débarrassés.*

— *Hourra ! crie Petit Ours. Il est courageux, mon papa.*

Maman Ourse est ravie :

— *C'est un trophée, alors ? Un vrai trophée ! Quel luxe ! Et si nous l'accrochions à ce mur, dès qu'il sera réparé ? Ou bien au-dessus de la cheminée, le jour où elle sera refaite.*

Elle embrasse Papa Ours, lui fait de gros câlins. Je ne dis rien. Même s'ils pouvaient m'entendre, je n'irais sûrement pas vendre la mêche.

Octobre

A part Joey Rupp, qui est juste derrière moi en sciences, personne ne fait attention à moi dans la classe. Il y a une fille, Maria Hernandez, qui me rappelle quelqu'un que je connaissais à Harlan, en Alabama, là où on habitait avant, avec Papa — avant qu'on déménage pour venir ici, dans le Nord, avant que Papa nous quitte. Mais ma meilleure amie, là-bas, c'était Sylvie. J'étais petite, à l'époque. Je devais avoir l'âge de Felice, à peu près, et Sylvie aussi. Elle avait un mois de plus que moi. Ou peut-être c'était le contraire.

En tout cas, c'était il y a longtemps, et quand je vois Maria Hernandez je pense à Harlan, à Sylvie, aux bons moments passés ensemble.

M. Goodman ne reviendra pas. Ils sont partis en Floride, sa femme et lui, donc on aura Mme Carpenter toute l'année. Chaque jour elle apporte quelque chose de nouveau pour la classe : des poissons tropicaux, des plantes, une maquette du système solaire qu'elle a accrochée au plafond. Les planètes sont censées tourner autour du Soleil, mais il y en a déjà deux ou trois de coincées, qui restent pendues sans bouger. Mme Carpenter dit qu'elle espère éveiller notre intérêt pour les sciences, et rien ne la décourage.

Hier elle est arrivée, toute contente, avec un œil de mouton. Elle nous a annoncé qu'elle allait le disséquer, et nous montrer les différentes parties de l'œil. Mais quand elle s'est absentée un instant, Joey Rupp en a profité pour chiper l'œil de mouton et le déposer en douce sur la chaise de Lisa Franklin. Lisa était debout et ne s'est aperçue de rien. Mais quand elle s'est assise, et que toute la classe sauf moi s'est mise à hurler de rire, elle a compris instantanément et elle s'est jetée sur Joey, toutes griffes dehors. Elle l'a poursuivi à travers toute la classe, et pendant ce temps-là les autres jouaient à la balle avec l'œil. Quand Mme Carpenter est revenue, on aurait dit une ménagerie.

J'ai cru qu'elle allait pleurer. Elle restait plantée sans rien dire. Alors Maria Hernandez a fait le tour de la classe en criant aux autres de se taire. Elle a même retrouvé l'œil et l'a rendu à Mme Carpenter, mais il était bien trop abîmé, il a fallu le jeter.

Plus tard, après la classe, j'ai entendu Maria Hernandez héler Joey Rupp dans le couloir. Elle n'a pas remarqué que j'étais là, derrière eux.

— Pourquoi est-ce que t'arrêtes pas de l'embêter ? elle disait. Pourquoi tu lui fiches pas la paix ?

— Je l'embête pas, a protesté Joey.

— Si, tu l'embêtes.

Elle n'avait pas l'air de plaisanter.

Ils marchaient devant moi tous les deux, j'ai juste ralenti le pas pour ne pas les doubler.

— Tu te crois drôle, disait Maria, mais t'es une peau de vache, c'est tout.

— J'suis pas une peau de vache, a essayé de protester Joey.

Visiblement, ça ne lui plaisait pas, de se faire remettre à sa place par Maria. Moi, je ne le crois pas méchant, pas vraiment. Un peu dingue, c'est tout. Il a ajouté, mollement :

— C'est plutôt Mme Carpenter qui comprend pas la plaisanterie.

Mais Maria n'était pas d'accord :

— T'es une peau de vache et une brute, c'est tout. C'est pas parce que tu fais rire les imbéciles qu'il faut te croire malin, figure-toi. (Elle s'est arrêtée pour lui faire face et lui a lancé un petit coup de poing d'avertissement.) A partir de maintenant tu vas lui ficher la paix, c'est compris ? Et t'as intérêt à ne pas la ramener, hein, c'est moi qui te le dis !

Je n'ai pas entendu ce qu'il a grommelé, mais ce matin, quand Mme Carpenter nous a annoncé que chacun de nous allait devoir préparer un dossier sur un sujet de son choix, il a été le seul de la classe à ne pas gémir à grand bruit.

Le mois d'octobre, j'en ai horreur. Avant, je l'aimais bien. Mais c'est fini. A partir de maintenant, je détesterai octobre toute ma vie.

L'autre jour, Mme Rutherford sonne chez nous et m'annonce qu'elle m'emmène en voiture. Elle a une belle voiture, toute propre, étincelante, bleu clair avec des fauteuils crème.

— Allons déjeuner ensemble, dit Mme Rutherford. Je connais un endroit sympathique, on y sert les meilleurs hamburgers du coin.

Moi, je regarde par la vitre et je ne pense qu'à une chose : combien je déteste Mme Rutherford.

Elle, elle fait comme d'habitude. Comme si elle ne savait pas que je ne peux pas la voir. Elle parle, parle, un vrai moulin. Il va y avoir de l'argent pour nous, bientôt. Bientôt je pourrai m'acheter des habits neufs.

— J'en ai pas besoin, moi, d'habits neufs, je marmonne. Vous confondez avec Florence. C'est elle qui ne rêve que de chiffons.

Du coup, elle ne dit plus grand-chose jusqu'à notre arrivée au restaurant. La salle est belle, toute propre et claire, il y a des rondelles de citron dans les verres d'eau. Mme Rutherford me demande si je veux mon hamburger avec un steak haché ou plutôt avec du fromage. Je lui réponds que je ne veux rien. Elle commande deux hamburgers au steak. Bien cuits. Avec des frites. Et deux Coca-cola.

Là-dessus, elle prend son souffle et se lance.

— Ecoute-moi, Fran Ellen. Tu n'es plus une petite fille, aussi je vais être très franche avec toi.

Je baisse les yeux sur la serviette rouge pliée en carré sous ma fourchette. Le nom du restaurant est écrit dessus. Sloppy Joe...

— Ta mère fait de son mieux pour se remettre sur pied, explique Mme Rutherford.

Et elle continue dans cette veine, presque sans respirer. Elle dit que pour Maman Flora est épuisante, que c'est trop de travail pour elle, trop de fatigue nerveuse. Elle dit que les choses tardent à s'améliorer, que Flora n'arrive pas à s'adapter, que Mme Carter aime beaucoup Flora, qu'elle saura prendre soin de Flora mieux que personne...

— Mais moi aussi je l'aime, je dis à Mme Rutherford sans lever les yeux de la serviette rouge. Je l'aime encore plus fort que Mme Carter.

Mme Rutherford pose une main sur la mienne. Je retire ma main. Elle me dit :

— Je le sais, que tu aimes ta petite sœur. Je sais que tu as le cœur gros. Mais c'est à elle, justement, qu'il faut songer en premier. A Flora. Et si tu l'aimes vraiment, Fran Ellen, il faut souhaiter pour elle ce qu'il y a de mieux. Et c'est chez Carter qu'elle est le plus heureuse.

J'en ai les joues en feu.

— C'est même pas vrai ! Ce qu'il y a, c'est qu'elle y va trop souvent. Elle y est tout le temps fourrée. Il faudrait pas la laisser aller là-bas comme ça tout le temps. Si elle restait chez nous un peu, vous verriez. C'est chez nous qu'elle aimerait mieux être.

Mais Mme Rutherford hoche la tête.

— Ta mère aussi est d'avis qu'il vaudrait mieux que Flora retourne chez les Carter. Elle pense que ce serait mieux pour tout le monde. Dans quelque temps, bien sûr, tu pourras aller lui rendre visite là-bas. Et rien ne l'empêchera de passer quelque jours avec vous, de temps à autre, quand elle sera plus grande. Mais pour le moment...

Et elle continue, blablabla. Je n'écoute plus. Les hamburgers arrivent. Mme Rutherford dit que je devrais manger le mien avant qu'il refroidisse, mais je ne vois plus que la serviette rouge où il est écrit Sloppy Joe. Au bout d'un moment, l'écriture s'embrouille.

— Tu peux faire emballer ton hamburger pour l'emporter chez toi, dit Mme Rutherford. Il te fera peut-être envie plus tard.

Il ne me fait pas envie plus tard, mais il fait envie à Felice. Elle le dévore de bon cœur, jusqu'à la toute dernière miette, et déclare que c'était le meilleur de sa vie. Même s'il était tout froid.

Tout le monde essaie d'être gentil avec moi — même Florence. Elle me propose de me vernir les ongles, elle ne s'assied plus sur mon lit. Maman cuisine tous les plats que j'adore d'habitude — des raviolis, du poulet frit, des biscuits aux pépites de chocolat.

L'autre jour, Maman m'appelle dans sa chambre. C'est elle qui dort avec Felice, maintenant. Fletcher a pris sa chambre. C'est mieux, parce qu'il n'est plus obligé de dormir sur le canapé du séjour.

— Tu sais ce que je me disais, Fran Ellen ? commence Maman d'un ton gai. (Peut-être qu'elle sourit ; je n'en sais rien, c'est le plancher que je regarde.) Cette pièce est vraiment agréable. Elle reçoit le soleil et c'est la plus grande chambre, aussi je me disais que peut-être tu aimerais revenir t'installer ici avec Felice.

— Non, je réponds au plancher. Pas envie de revenir ici.

— Bon, reprend Maman. Mais tu pourrais toujours y mettre ta maison de poupée ; ça vous ferait un peu plus de place, à Florence et toi. Et Felice serait ravie d'avoir cette maison de poupée ici, surtout que...

— Felice, c'est une nouille. Tout ce qu'elle sait faire, c'est pleurnicher. Si elle avait été plus gentille, Flora serait encore ici. C'est la faute de Felice, cette gourde. Je ne peux pas la sentir. Je ne veux plus lui parler. Plus jamais.

Maman m'attire contre elle. Elle essaie de poser ma tête contre son épaule mais je me tiens raide. Elle me tapote le dos, mais je ne mollis pas.

— Felice n'a que sept ans, Fran Ellen. Ce n'est pas grand, tu sais.

— Je ne veux pas revenir dans cette chambre.

Elle me donne encore une ou deux petites tapes dans le dos, puis elle me laisse aller.

Florence est dans notre chambre, en train de faire des essayages avec Carol. Je les entends pouffer, inutile d'y aller. Felice est dans le séjour, vautrée devant la télé. Pas question d'aller là non plus.

Alors je vais à la cuisine, je m'assois à la table, et je réfléchis. Que faire à présent ? Rien ne me fait envie.

Un cafard se balade le long du mur. Lui non plus n'a pas l'air de savoir où aller. Il commence par cheminer dans une direction. Et puis il s'arrête, fait demi-tour et repart dans l'autre sens. Mais pour finir, non, celle-là ne lui convient pas non plus. Il s'immobilise et ne bouge plus. Il est comme moi, changée en statue sur ma chaise de cuisine, moi qui le regarde et me dis que nous avons beaucoup en commun.

— Et maintenant ça suffit ! cingle Maman.

— M'en fiche !

C'est la vérité, je m'en fiche. De tout.

— Que tu t'en fiches ou non, il faut que ça change. (Elle m'empoigne par les épaules, incline son visage vers le mien.) Voilà un mois maintenant que tu boudes et que tu fais grise mine, et que tu nous

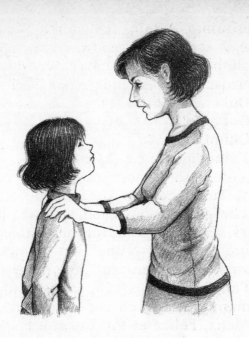

rends tous malheureux rien qu'à voir
ta tête d'enterrement.

Elle se tait un instant, me donne une
petite secousse.

— En plus, tu ne fais plus rien à la
maison... Fran Ellen. J'aime qu'on me
regarde quand je parle.

Je lève les yeux vers elle.

— Bien. Ecoute. Je n'arrête pas, moi,
ces jours-ci, au cas où tu ne l'aurais
pas remarqué. Du matin au soir je

m'esquinte. A faire les courses, la cuisine, à essayer de rendre cette maison habitable, de la débarrasser de ses cafards... Tu m'entends, Fran Ellen ?

— Oui.

— Oui qui ?

— Oui M'man.

— J'aime mieux ça. (Elle incline la tête de côté comme pour mieux me regarder.) Tu as besoin d'une bonne coupe de cheveux, dis-moi. Felice aussi, d'ailleurs. Et il lui faudrait un vêtement chaud, à elle — une veste, quelque chose. L'hiver sera sur nous d'un jour à l'autre. Voyons. On est vendredi. Demain, vous irez chez le coiffeur toutes les deux, Felice et toi. Ensuite tu l'emmèneras acheter une veste.

— Et pourquoi pas Florence ? Elle pourrait l'emmener, elle.

— C'est à toi que je le demande.

— Ouais, eh ben j'irai pas.

J'attendais une gifle. Elle ne vient pas.

— Fran Ellen. Le chagrin peut rendre malade, je le sais. Comme il m'a rendue malade quand votre père nous a quittés. Et il peut rendre égoïste aussi, parce

qu'on oublie que les autres existent.
Mais il y a trop à faire dans cette
maison, beaucoup trop. Chacun doit y
mettre du sien. Et c'est valable pour toi
aussi. Tu m'entends, Fran Ellen ?

— Oui.

— Oui qui ?

— Oui M'man. Je t'entends.

Je regagne ma chambre et je ferme
la porte. Je l'aurais bien claquée, mais
Maman le prendrait mal. Je m'étends
sur mon lit et je laisse monter ma
colère. Elle fait une boule dans ma
gorge. Maman m'en veut à mort, c'est
sûr, pour m'envoyer faire les courses
avec Felice. Elle le sait, que je la déteste.

Je suis trop en colère pour rester
allongée. Je me rassieds, le menton
dans les mains. Que faire ? Rien, pour
changer un peu. Je n'ai pratiquement
rien fait depuis des jours. Mon regard
erre à travers la chambre, s'arrête sur
la Maison des Ours. Les ours. Je les
avais oubliés, les pauvres.

Je me penche et je jette un coup d'œil
à l'intérieur.

Ils sont à la cuisine, assis sur leurs
chaises en cure-pipe.

— *J'en ai assez, moi, de rester assis là,* geint Petit Ours. *J'ai envie de jouer. Où elle est, Boucle d'Or ?*

Maman Ourse pousse un gros soupir.
— *Ne me parle plus de Boucle d'Or. Elle ne reviendra pas, je te l'ai déjà dit. Apprends à jouer tout seul.*

Je n'essaie même plus de leur parler. Ils ne m'entendent pas, de toute façon. A quoi bon les avoir s'ils ne m'entendent même plus ? Tout le temps que j'étais loin d'eux, chez les gens où on m'avait placée, je n'arrêtais pas d'y songer, pourtant. Je revoyais leur maison, je me disais que tout serait comme avant. Mais ce n'est plus comme avant. Et pas seulement parce que les meubles ont disparu, et Boucle d'Or avec, et que tout a l'air miteux et déglingué. C'est parce qu'ils sont fâchés, aussi. Parce qu'ils ne veulent pas me laisser entrer.

Mais... Quelque chose a changé dans la Maison des Ours ! Quelqu'un a fait des choses — et ce n'est sûrement pas moi. Quelqu'un a mis dans la cuisine une vieille brosse à dents sans manche, les poils contre le sol, comme une brosse en chiendent. Quelqu'un a piqué un morceau d'éponge au bout d'un bâton de sucette, et adossé ce « balai » contre le mur. Quelqu'un a posé sur le sol une espèce de bouchon de flacon, vaguement en forme de seau, quelqu'un...

J'empoigne Petit Ours, je le tourne et le retourne. Quelqu'un l'a affublé de ce qui ressemble fort à un doigt de gant coupé.

— Felice ! (Je hurle à m'en écorcher le gosier.) Felice !

Felice surgit, jette un regard aux ours et me dit, radieuse :

— Tu as vu ? Tu as vu ce que j'ai fait ? J'attendais que tu t'en aperçoives.

— Tu as du culot, dis donc ! Qui t'a permis de tripoter ma maison ?

— La maîtresse nous a lu une histoire où il y avait une maison de poupée, l'autre jour. Et à la place des assiettes, il y avait des gros boutons creux. Mais pour la brosse et le balai-éponge, c'est moi qui ai eu l'idée. Et le seau — tu l'as vu ? — c'est le capuchon d'un marqueur de Fletcher. On peut mettre de l'eau dedans, si tu veux, et comme ça Maman Ourse pourra passer la serpillière. La maison en a bien besoin.

— Que je te voie mettre de l'eau dans ma maison !

— Et je trouvais que Bébé Ours avait l'air d'avoir froid, alors j'ai coupé un doigt d'un vieux gant à moi — j'ai perdu l'autre, de toute façon, alors... Et ça lui va bien, tu trouves pas ? En plus, regarde comme ça fait joli, les assiettes que je leur ai mises.

Je suis sur le point de lui crier de ne plus jamais toucher à ma Maison des Ours, plus jamais jamais, terminé, mais d'abord je lance un coup d'œil à la table de la cuisine. Le couvert est mis, le repas servi : trois pincées de grains de riz et de haricots secs réparties dans trois boutons creux.

— Les ours en avaient marre de toujours manger de l'herbe, explique Felice. Ils aiment mieux le riz et les haricots, tu crois pas ?

Je lui ordonne de déguerpir et de ne plus mettre les pieds dans ma chambre, ou gare !

Puis je regarde à nouveau dans la Maison des Ours.

— *Ces assiettes neuves sont vraiment superbes, dit Maman Ourse.*
— *Moi, j'adore le riz et les haricots, dit Petit Ours.*
— *C'est bien meilleur que l'herbe, en tout cas, conclut Papa Ours.*

Felice est furieuse. Le coiffeur lui a coupé les cheveux si court qu'on dirait un garçon. Elle dit qu'à l'école tout le monde va se moquer d'elle, elle en pleure de colère avec des bruits de bébé.
— Oh, la paix ! je lui lance à mi-voix. Arrête de faire tout ce cirque ; ça repoussera.

Elle est assise en face de moi dans le métro, en route pour ce magasin où Maman nous a dit d'aller acheter la veste de Felice.
— Fran Ellen... Je voudrais savoir, pour Boucle d'Or.
— Savoir quoi ? Y a rien à savoir. On me l'a chouravée, c'est tout.
— Il faut la retrouver. (Elle fronce les sourcils.) C'est idiot d'avoir les trois ours et pas Boucle d'Or.

Je ne réponds pas. A quoi bon ? Elle se lève et va se poster à l'avant de la rame. Nous sommes dans la première rame ; de l'avant on peut voir les feux changer. Moi aussi, quand j'étais petite, j'adorais me mettre à l'avant. Plus maintenant.

Au bout d'un moment elle revient, se rassied et me demande :

— Tu l'aimais bien ?

— Qui ?

— Boucle d'Or.

— Evidemment.

— Alors pourquoi t'essaies même pas de la retrouver ?

— Ecoute. (Je fais de mon mieux pour garder patience.) Quelqu'un l'a barbotée. Je ne sais pas quand, je ne sais pas qui, je ne sais pas où. Comment veux-tu faire pour la retrouver ? Arrête de poser des questions stupides !

Un silence. Felice se tortille.

— J'ai faim. On va s'acheter à manger ?

— Non. On t'achète une veste et on rentre tout droit. On n'a pas de quoi s'acheter à manger.

Le rayon Fillettes est facile à trouver, mais les vestes sont bien trop étroites pour Felice. Et celles qui lui iraient sont trop longues. Elles sont trop chères aussi, vingt fois trop chères. Elles coûtent bien plus d'argent que Maman ne m'en a donné. Mais tout à coup je me souviens de ce que faisait Mme Porter, quand la dame de l'Aide Sociale lui donnait de quoi m'acheter un vêtement d'hiver. Elle m'emmenait au rayon Garçons et c'est là qu'elle m'achetait une veste. On ne voit pas la différence, elle disait. Mais la différence, je la connaissais : c'était moins cher.

— Viens donc, je dis à Felice, qui s'est remise à geindre parce qu'on ne lui a pas acheté sa veste. Arrête de ronchonner comme ça, allons voir dans un autre rayon où on vend des vestes.

Je ne lui dis pas que je l'emmène au rayon des garçons, elle pousserait des hauts cris.

— D'accord, dit-elle, à nouveau pleine d'espoir.

Nous reprenons l'Escalator, et c'est là que les ennuis commencent. Parce qu'au lieu du rayon Garçons, nous nous retrouvons directement à celui des jouets.

82

— Fran Ellen, regarde ! s'écrie Felice au bout de trois pas. Regarde cette super maison de poupée !

Elle me tire par la manche, pousse des oh et des ah.

— Bof, je lui dis. D'accord, elle est grande, mais à part ça elle n'a rien d'extraordinaire. Ma Maison des Ours était drôlement plus jolie quand je l'ai eue. Celle-ci est quelconque.

— Oui, mais regarde, il y a une salle de bains ! Tu as vu, cette baignoire rose ? Oh, et ce petit lavabo avec une lampe au-dessus ! Et ces toilettes, regarde ! Il y a même un abattant. Dans ta Maison des Ours, des toilettes, y en a pas.

— Forcément, ça n'existait pas, à l'époque. Personne...

Mais Felice n'écoute pas.

— Oh ! et regarde, il y a un séjour à l'étage et une salle à manger en bas, et une salle de télévision et... Oh ! Fran Ellen, tu as vu ? Il y a une grande chambre pour les parents, ils ont même leur salle d'eau à eux, et une chambre pour le garçon, et une chambre pour la fille. Oh ! C'est celle-là la plus belle, tu trouves pas ?

Je ne dis rien, mais c'est vrai qu'elle est belle. Le lit est comme celui d'une princesse, avec un baldaquin au-dessus, drapé de tissu à carreaux rouges et blancs, avec des fronces et des volants partout. Il y a un tapis blanc, épais, et un bureau blanc, et une petite coiffeuse blanche avec un miroir. Et devant le miroir est assise...

— Boucle d'Or ! hurle Felice. C'est Boucle d'Or !

— Chut ! Pas si fort, bon sang ! D'abord c'est même pas Boucle d'Or. C'est pas parce qu'elle a les cheveux blonds que c'est forcément Boucle d'Or, tu sais.

— Si ! crie Felice. C'est Boucle d'Or !

— Mais tais-toi, enfin ! (Je lui lance un petit coup de coude.) Tout le monde nous regarde. Puisque je te dis que ça n'est pas Boucle d'Or. Boucle d'Or, figure-toi, elle était en porcelaine. Elle avait les cheveux peints sur sa tête, et des yeux qui se fermaient. Celle-ci, c'est juste une bête poupée en plastique avec des cheveux en filasse.

Une vendeuse marche droit sur nous, une de ces bonnes femmes à l'air féroce.

— Vous désirez quelque chose ?

— Oui, dit Felice. On voulait savoir.
C'est Boucle d'Or, là, dans la chambre ?

La dame sourit d'un petit air supé-
rieur et répond que c'est à chacun de
décider du nom de cette poupée, qu'elle
coûte cinq dollars quatre-vingt-quinze,
et désirons-nous l'acheter ?

Je réponds très vite :

— Non merci, Madame.

Mais Felice me coupe la parole :

— Si, moi je veux l'acheter. Au lieu de
ma veste, je veux Boucle d'Or.

Je l'attrape par le bras, j'essaie de
l'entraîner loin de ce rayon maudit.

— Mais puisque ce n'est PAS Boucle
d'Or ! C'est juste une bête petite poupée
de plastique, et d'ailleurs il te faut une
veste.

Elle se dégage d'une secousse, je lance
le bras pour la rattraper et vlan ! je
heurte une pile de boîtes entreposées
là, sur une étagère. La pile vacille et le
tout s'effondre sur la moquette.

— Oh, pardon ! je dis à la vendeuse.

Je m'accroupis pour ramasser une
boîte entrouverte, et la dame se penche
avec moi.

— Je suis vraiment désolée, vous savez.

85

C'est ma petite sœur, elle est casse-pieds, mais Maman m'a envoyée avec elle pour lui acheter une veste...

— La confection fillettes, c'est l'étage au-dessous, dit la vendeuse en me reprenant la boîte des mains. Et l'Escalator est là, tout droit.

Elle veut se débarrasser de nous, c'est clair. Mais il me semble que je lui dois des explications, alors je lui dis, très bas :

— Le rayon Fillettes, on en vient, vous comprenez. Le problème, avec elle (d'un signe de tête, je désigne Felice, le nez dans la maison de poupée), c'est qu'elle est trop grosse. La plupart des vestes, elle n'entre pas dedans. En plus, elles sont horriblement chères. Alors je me disais que peut-être on en trouverait une au rayon des garçons. Quelquefois, il y en a de bien moins chères et quand même de bonne qualité, si bien que...

— La confection garçons, c'est aussi à l'étage au-dessous, coupe la vendeuse.

Elle n'a pas l'air de s'intéresser beaucoup à ce que je lui raconte. Alors je prends Felice d'une main ferme et je l'arrache au rayon des jouets. Elle me suit en silence et ne pipe pas mot tout le temps que je la houspille, dans l'Escalator qui descend. Elle m'accompagne, docile, au rayon des vêtements pour garçons, essaie sans protester les deux vestes que je lui tends. Il y en a une qui lui va, une marron. C'est la moins chère. Elle n'est pas très belle, loin s'en faut, mais Felice n'a pas l'air de s'en soucier.

— Elle te tiendra chaud cet hiver, je lui dis. Et si ça se trouve, comme elle est grande, elle te fera l'hiver d'après.

— D'accord, dit Felice.

Elle fait de gros efforts pour me plaire, je le vois bien. Peut-être parce qu'elle a peur que je dise à Maman qu'elle voulait acheter une poupée au lieu d'une veste. Peut-être qu'elle s'imagine que je vais lui sonner les cloches, une fois sorties du magasin. Alors je me radoucis.

— Ecoute, Felice. C'est fini maintenant, tout va bien. Il me reste un peu de monnaie sur l'argent de ta veste. J'ai repéré un marchand de hot dogs à la sortie du métro. Si tu en veux un, avec un jus d'orange, pas de problème.

— Je veux bien, dit Felice.

— Tu peux même avoir un beignet, si tu veux.

— Je veux bien.

C'est dit d'un ton si sage que je devrais me méfier, mais je ne me méfie pas. Nous reprenons l'Escalator pour descendre au rez-de-chaussée, nous passons les portes vitrées... A cet instant, derrière nous, j'entends comme un galop précipité, mais je n'ai pas le temps de me retourner. Une main m'empoigne par l'épaule, une autre empoigne celle de Felice.

— Minute, vous deux ! lance une voix de femme.

C'est une grosse dame, et elle nous ramène dans le magasin.

— Qu'est-ce qui se passe ? je lui demande.

Elle ne répond pas. Elle nous pousse dans un ascenseur, appuie sur le bouton n° 4. C'est le rayon des jouets, je le vois dès que les portes s'ouvrent. Je crois que je commence à comprendre. J'essaie de me défendre :

— Je n'ai rien cassé du tout... Il n'y avait rien qui se cassait, dans ces boîtes. C'étaient juste des meubles en plastique, des meubles de poupée.

Elle nous traîne dans une petite pièce. Un homme est assis derrière un bureau, la vendeuse au sourire féroce se tient toute raide à côté de lui.

— C'est elles, dit la vendeuse.

Je me tourne vers la grosse dame qui ne fait pas mine de nous lâcher.

— Demandez-le lui, je lui dis. Demandez-lui, à elle, si j'ai cassé quelque chose !

L'homme se lève, contourne son bureau et vient s'y adosser par-devant. Il fait la même tête que Maman devant les cafards.

— O.K. ! dit-il en croisant les bras sur la poitrine. Feriez mieux de rendre ce que vous avez pris, ou vous risquez d'aggraver votre cas, qui est bien assez grave comme ça.

— Rendre quoi ?

Je ne vois vraiment pas de quoi il parle.

— C'est la petite, précise la grosse dame qui nous tient toujours. Je l'ai vue fourrer quelque chose dans sa poche au moment où la grande a fait tomber les boîtes.

Sans prévenir, elle me lâche et j'entends Felice se mettre à hurler. Je me tourne. La grosse dame plonge la main dans la poche du pantalon de Felice et en retire la petite poupée aux tresses blondes, celle qui était assise à sa coiffeuse.

— Moi, j'en ai jusque-là, déclare l'homme en allongeant le bras pour décrocher son téléphone. Ces sales gosses. Ils se figurent qu'ils n'ont qu'à entrer et empocher ce qui leur plaît, du moment que ça n'est pas sous clé. Ras le bol de voir mon stock disparaître. Je m'en vais leur donner une leçon, à ces deux-là. Une leçon qu'elles n'oublieront pas de sitôt.

Felice vagit si fort que tout le magasin doit l'entendre.

Je m'entends crier d'une voix étranglée :

— Un instant, s'il vous plaît, Monsieur. S'il vous plaît. N'appelez personne.

Il a la main sur le combiné.

— Ouais ? Alors ?

Je réfléchis à toute allure. Il faut l'empêcher d'appeler la police. A tout prix. Parce que c'est ce qu'il va faire, j'en suis sûre. Il va appeler la police, et on viendra nous chercher pour nous emmener. Ou peut-être même qu'ils n'emmèneront que Felice. Elle est nigaude, c'est entendu, mais c'est quand même ma petite sœur ; je ne peux pas les laisser l'emmener.

— S'il vous plaît, Monsieur. Elle est petite. Elle n'a que sept ans.

— Si à sept ans elle vole déjà, ricane le bonhomme en soulevant le combiné, j'aime mieux ne pas savoir ce qu'elle fera à huit.

Il a un petit rire, mais pas un rire plaisant.

— S'il vous plaît, Monsieur, non ! Ce n'est pas de sa faute...

— Très juste, coupe la vendeuse à l'air féroce. Tu étais dans le coup, toi, j'en suis sûre, avec ton truc de faire dégringoler les boîtes, et de me raconter des salades, que ta mère t'envoyait ici pour acheter une veste à ta sœur et je ne sais quoi encore.

Alors je crie d'un trait :

— C'est vrai. C'est moi qui lui ai dit. C'est de ma faute. Pas de la sienne.

L'homme commence à former son numéro, et du coup je me mets à pleurer. Comme Felice. A tous les coups, on doit entendre notre duo depuis la rue.

— Harry ! s'écrie la vendeuse à l'air féroce. Harry, un instant, s'il te plaît. Raccroche.

L'homme repose le combiné, se plaque les mains sur les oreilles.

— Vous allez la boucler, toutes les deux ?

Je me tais, mais pas Felice. Je lui allonge un petit coup de pied.

— Felice, arrête.

Felice se tait.

La vendeuse à l'air féroce regarde fixement le sac en plastique que j'ai à la main.

— Et là-dedans, qu'est-ce qu'il y a, hein ?

— Quoi, ça ? C'est la veste que j'ai achetée pour ma sœur. Comme je vous le disais. Celles du rayon Fillettes étaient trop chères, alors on en a trouvé une au rayon Garçons.

— Ah oui ?

Elle ne me croit pas ; elle me fait ouvrir le sac et demande à voir la veste. Elle la déplie, regarde le ticket de caisse.

— C'est comme je vous disais, vous

savez. Ma mère m'a envoyée lui acheter une veste.

La vendeuse plisse les paupières.

— Je vois... Peut-être que tu disais la vérité, finalement. Si ça se trouve, jamais tu ne lui as soufflé de voler cette poupée. Elle a fait ça toute seule, en douce. D'ailleurs, je t'ai entendu lui dire qu'elle était moche. C'est son idée à elle, pas la tienne, de voler cette poupée. Je me trompe ?

— Oh si, Madame, c'est moi qui lui ai dit de la prendre. Autrement, elle ne l'aurait pas fait. Elle n'y aurait même pas pensé. Elle a juste sept ans, vous savez. Et elle n'est pas maligne, par exemple elle perd toujours tout. Mais peut-être je pourrais la payer, cette poupée ? Je ne la veux pas, remarquez, mais je pourrais...

— Moi je la veux, coupe Felice. Oh si ! moi je la veux.

— Elle dit n'importe quoi, je leur explique. (Et je sors de ma poche tout l'argent qu'il me reste sur l'achat de la veste.) Voilà. Je peux déjà vous payer deux dollars quatre-vingt-sept, là, tout de suite. Et après ça, peut-être je pourrai

94

revenir demain pour apporter le reste. Mon frère et mon autre sœur ont peut-être un peu d'argent aussi, je...

— Disparaissez ! coupe la vendeuse à l'air féroce. Rentrez chez vous, et qu'on ne vous revoie plus !

— Et ne remettez pas les pieds ici, ou gare ! menace l'employé.

La grosse dame dans mon dos se contente de renifler.

— Oh non, on ne reviendra pas, je leur promets très vite. Ne vous en faites pas pour ça — et merci. Merci.

Je prends Felice par le bras, je la traîne hors du bureau, puis hors du magasin, sans demander mon reste.

— Quelle nouille tu fais, alors ! je lui aboie aux oreilles dès que nous sommes dans la rue. Triple idiote, va ! Tu as bien failli nous envoyer en prison ! S'ils avaient appelé la police, c'est là qu'on serait, tiens, maintenant. Sous les verrous. Oh ! mais je vais le dire à Maman, t'en fais pas. Dès qu'on sera à la maison, je lui dirai. Et elle te filera une de ces raclées, tu verras. Elle te...

Felice fourre sa main dans la mienne.

— Fran Ellen... J'ai faim.

Novembre

Maintenant, en plus des cafards, Maman se plaint de disparitions bizarres.

— J'avais trois bobines de fil, une blanche, une noire, une marron. Rien à faire pour les retrouver. Je suis allée en acheter d'autres et voilà que c'est mon dé que je ne trouve plus.

Je prends Felice à part et je lui dis :

— Tu ferais mieux d'arrêter, tu sais.

Un autre jour, Maman dit :

— Plus moyen de mettre la main sur le capuchon de mon flacon de gouttes. Personne ne l'aurait vu, par hasard ?

— Je t'ai dit d'arrêter, je rappelle à Felice.

Puis c'est Florence qui proteste :

— Qui a piqué le bouchon de mon flacon de vernis à ongles ? Je l'avais revissé, j'en suis sûre, et maintenant il n'y est plus. C'est comme mon bâton de rouge :
— introuvable !

Elle ne va pas jusqu'à dire que c'est moi qui le lui ai pris. D'ailleurs nous ne partageons plus la même chambre. C'est Maman qui est avec Florence, maintenant. Moi, je dors avec Felice.

Fletcher se plaint que quelqu'un a pris les capuchons de ses feutres, les gros, ceux dont il se sert pour ses graphiques.

— Cette fois, ça suffit ! j'avertis Felice. Un de ces jours, quelqu'un mettra le nez dans la Maison des Ours, et on aura des ennuis, toi et moi.

Elle m'adresse un grand sourire — encore un peu ébréché — et promet de ne plus recommencer.

— N'empêche, c'est plus joli, tu trouves pas ? Dis, Fran Ellen ? Hein que c'est plus joli ?

Je ne dis pas non. C'est plus joli. Pas tout à fait aussi joli qu'avant, bien sûr, mais c'est tout de même cent fois mieux que le jour où on me l'a rendue, cette pauvre Maison des Ours.

C'est la cuisine surtout qui est belle. Je lui avais dit de ne pas le faire, mais Felice a débobiné tout le fil de Maman, et les bobines vides sont devenues des tabourets parfaits pour les ours. Moi, j'ai découpé une nappe et des serviettes dans du papier cadeau trouvé dans une poubelle, au bas de l'immeuble.

Curieusement, alors que les autres meubles ont tous disparu, le vaisselier de la cuisine est resté, et il n'est même pas abîmé. L'ennui, c'est qu'il n'y avait plus de jolie vaisselle à mettre dedans. Alors, Felice et moi, on y a mis ce qu'on a pu : des assiettes en boutons et des verres en capuchons de feutre. Evidemment, ça ne vaut pas le service en porcelaine d'autrefois, ni les verres qui étaient comme des vrais, mais le résultat est quand même joli.

Ce qui manque encore, c'est la glacière. On en remettra une. En attendant, les ours se régalent : en plus du riz et des haricots, ils ont des spaghettis secs, des brins de céleri, des petits bonbons et du chewing-gum.

Mais il n'y a pas que la cuisine qui ait changé. Pour le séjour, Felice a eu un trait de génie : faire deux petits lampadaires sur pied avec le haut des flacons de vernis de Florence. J'ai aussi fait un abat-jour avec le bouchon des gouttes de Maman, et un autre avec une cassette de papier plissé que j'avais trouvée dans une boîte de chocolats vide, près des poubelles, en bas.

Incroyable ce que les gens peuvent jeter. Hier, j'ai découvert une montre. Le verre est cassé, il n'y a plus qu'une aiguille, et bien sûr elle ne marche pas. N'empêche, elle est magnifique avec son cadran bordé de rouge et décoré d'une guirlande de fleurs. Avec Felice, on a décidé d'en faire une pendule pour les ours, qu'on accrochera au mur de la cuisine. Pour le moment, le problème, c'est d'enlever le bracelet.

— Parle-moi de Boucle d'Or, me supplie Felice.

Elle est en train de disposer trois

fleurs séchées dans le dé à coudre de Maman. Planté dans un peu de pâte à modeler, le dé tient debout sans problème. C'est le vase idéal pour le séjour des ours.

— Boucle d'Or ? Mais je t'ai déjà tout dit sur elle. Au moins cent fois si c'est pas mille. Tout ce qu'il y a à savoir d'elle, tu le sais depuis longtemps.

Je suis en train de découper un vieux chapeau de paille que j'ai trouvé à la poubelle. J'ai de quoi faire au moins deux tapis, avec ça — un pour le séjour, un pour la chambre. Il en restera peut-être même assez pour mettre un paillasson dans l'entrée. Hier, toujours dans le local des poubelles, j'ai fait de précieuses découvertes : une poignée de porte en verre, superbe, qui fait une merveilleuse table basse ; et un chemisier d'enfant, tout taché, mais avec d'adorables boutons sur lesquels sont peints des oiseaux. Autant de jolies assiettes à placer dans le vaisselier. Et avec la mousse des épaulettes je vais tâcher de faire des fauteuils. En plus, j'ai trouvé un insigne de Girl Scout, tout petit, en cuivre, avec un aigle dessus.

Ce sera un magnifique marteau de porte une fois bien astiqué.

— Tu la détestais ? insiste Felice.

Tiens ! Une question inédite.

— Bien sûr que non. Quelle idée ! Pourquoi je l'aurais détestée ?

— Parce que c'est elle que les ours préféraient, dit Felice.

Elle pose le vase dans le séjour, à côté de la cheminée — du moins si la cheminée était encore là.

Je ne lève pas les yeux de mon travail, mais je proteste :

— Jamais les ours n'ont préféré Boucle d'Or, tu veux rire ? Au contraire, c'est moi qu'ils aimaient le mieux.

— Dans ce cas, pourquoi ils t'en veulent encore ?

Je continue de découper.

— Ils m'en veulent parce qu'ils croient que je les ai abandonnés. Ils croient que c'est ma faute si leur maison a été mise à sac. C'est pour ça qu'ils ne veulent plus me parler.

Je lisse le morceau que je viens de découper et je le pose bien à plat sur le plancher de la chambre. La chambre, pour le moment, je n'y ai encore rien fait ; il suffit donc de déplacer les lits.

Je m'écarte un peu pour juger du résultat.

— Voilà. Qu'est-ce que t'en penses ?

— Pas mal du tout, dit Felice. Mais ce serait quand même mieux si on pouvait y mettre un tapis de fourrure. Tu sais, comme celui qu'il y avait, dans la maison de poupée du magasin.

— Celle-là, je lui dis, on n'en parle pas, d'accord ? Mais peut-être qu'un jour on aura des vrais tapis. Avant, il y en avait un, ici. Rudement joli, fait avec des chutes de tissus de toutes les couleurs. Et Petit Ours avait un couvre-lit en patchwork, aussi.

Felice s'approche de moi, elle noue ses bras autour de mon cou et me chuchote à l'oreille :

— Moi, Boucle d'Or, je la déteste.

Je lui rends son câlin, vite fait, puis je l'écarte de moi.

— Et pourquoi tu la détestes, comme ça, tout d'un coup ?

— Parce que c'est à cause d'elle que tout est arrivé. Et maintenant les ours disent que c'est ta faute.

— Felice, je lui dis de ma voix la plus patiente. Tu es bien gentille, au fond, je te l'accorde. Mais tu es quand même drôlement bouchée, aussi. Combien de fois faudra-t-il que je te dise que ce sont les enfants du foyer d'accueil qui ont saccagé la maison ? C'est eux qui ont cassé les carreaux et chouravé toutes les affaires. Ils ont même piqué Boucle d'Or. Tu ne vas pas dire que c'est sa faute à elle ?

— Si, c'est sa faute, soutient Felice. Je la déteste, et je suis bien contente qu'elle n'habite plus ici.

— Maman ! s'égosille Florence. Maman, viens voir ! J'ai tout retrouvé. J'ai retrouvé tout ce qui avait disparu !

Maman accourt dans notre chambre et se penche à son tour pour regarder chez les ours, entre la tête de Florence et la mienne.

— Tiens donc ! Mes bobines. Et mon dé...

— Et regarde ce qu'elles ont fait avec

les capuchons de mes flacons de vernis. Regarde.

Je tente d'arranger les choses :

— Je voulais te le dire, Maman. J'ai failli te le dire, mais j'ai eu peur que tu ne sois pas contente.

— Ah, parce que je devrais être contente, en plus ? Tu crois que ça m'amuse de voir mes affaires disparaître ?

— Et regarde, Maman, poursuit Florence. Tous ces bouchons et ces capuchons qu'on ne retrouvait plus, elles en ont fait des meubles, des corbeilles à papier...

Fletcher nous rejoint dans la pièce.

— Qu'est-ce qui se passe ? Quelque chose à voir ?

— Oui, tes capuchons de feutre, lui annonce Florence. Ils ont fini en service de verres.

— Quoi ? s'écrie Fletcher et il allonge le cou par-dessus mon épaule pour inspecter l'intérieur de la Maison des Ours. Nom d'une pipe ! Faut le voir pour le croire.

— Tu aurais pu me le demander, Fran Ellen, accuse Maman. Je vous les aurais données volontiers, moi, ces bobines, une fois vides.

— Les ours ne pouvaient pas attendre, déclare Felice. Il leur fallait des chaises pour s'asseoir à table. Tu aimerais ça, toi, manger debout ?

— Je n'aime pas beaucoup les enfants qui répondent, Felice, se fâche Maman.

— Mais ce n'est pas répondre, ça, Maman, je lui dis. Elle est petite ; elle ne peut pas savoir. Je te demande pardon, et elle aussi.

— Regarde, Maman, enchaîne Florence. Tu as vu ces vieux timbres qu'elles ont collés sur des boutons, pour en faire des tableaux au mur ? Le plus fort, c'est que ça fait joli, tu ne trouves pas ?

— C'est leur famille, explique Felice. Là, c'est leur tante Harriet, et là, c'est leur oncle Wayne.

Fletcher éclate de rire.

— La bonne blague. La dame, c'est Martha Washington, et le monsieur, c'est Thomas Edison.

Maman se laisse gagner par le rire.

— Sympathique, ma foi, comme petit intérieur. (Elle laisse échapper un soupir.) Et je parie qu'ils n'ont pas de cafards.

Du coup, tout le monde se met à

rire. Même Florence. Mais c'est son anniversaire, c'est peut-être pour ça qu'elle est de bonne humeur. Maman lui a permis d'inviter Carol et Joyce à déjeuner, et elle nous prépare un poulet aux boulettes de pâte, le régal de Florence. En dessert, il y aura un gâteau au chocolat.

— Regarde, Florence, dit Felice. Les ours aussi fêtent ton anniversaire.

Et c'est la vérité. Sur la table, en guise de gâteau, il y a un pion de jeu de dames, un noir, avec un décor et des bougies en pâte à modeler.

— Adorable ! s'écrie Maman. Tout simplement adorable.

Elle s'agenouille et examine la maison de plus près.

— Vous savez ce qui lui manque, à votre petite maison ?

— Plein de choses, je réponds aussitôt.

— Des rideaux, complète Maman. Pour empêcher les voisins de regarder.

— Y a même plus de carreaux aux fenêtres, Maman, lui fait remarquer Felice.

— Raison de plus, dit Maman qui se

redresse. Si vous me promettez de ne plus rien prendre dans mes affaires...

Elle laisse sa phrase en suspens.

— Je promets, je lui dis.

— Felice ? demande Maman.

— On est obligées ? me demande Felice.

— Oui. Tu es obligée.

— Bon, alors je promets.

— Et si vous demandez pardon à Fletcher et à Florence...

— Pas la peine, Maman, dit Fletcher.

— Oh que si, c'est la peine, insiste Maman. Je veux qu'elles présentent leurs excuses. Toutes les deux. Allez !

— Je suis désolée, je commence. Je te demande pardon, Fletcher. Pardon, Florence. Pardon, Maman.

— Felice ? rappelle Maman.

— Moi aussi, dit Felice.

— Parfait, dit Maman. Donc, moi je promets de coudre des rideaux pour ces fenêtres dès que j'aurai un moment. Mais maintenant, Fran Ellen, je te demande de mettre le couvert ; Felice, tu vas aller te laver les mains et te débarbouiller un peu ; Fletcher, tu serais gentil de m'attraper le grand plat à gâteau qui est tout en haut du placard ; et toi, Florence...

— Hé ! proteste Florence, c'est mon anniversaire. En principe, on a le droit de ne rien faire, le jour de son anniversaire.

Elle est agenouillée sur le parquet, le nez dans la Maison des Ours.

— Très juste, dit Maman. Toi, tout ce qu'on te demande aujourd'hui, c'est d'être contente.

— Oh, mais je suis contente, assure Florence.

Et le mieux c'est que c'est vrai. Surtout quand elle déballe ses cadeaux — des boucles d'oreilles de la part de Joyce, un porte-photo de la part de Carol, une paire de mules offerte par Maman, du papier à lettres de la part de Fletcher... et trois flacons de vernis à ongles offerts par nous deux, Felice et moi.

Décembre

Voir Maman se battre avec les cafards au milieu de la nuit me donne une idée super pour mon dossier de sciences.

Maman s'affaire à travers le séjour, en robe de chambre, un journal roulé à la main, tandis que les cafards sillonnent les murs d'un air pressé, dans toutes les directions à la fois.

— C'est dégoûtant, déclare Maman en écrasant l'ennemi à l'aveuglette. Jamais vu un endroit pareil. Plus on en tue, plus il en vient.

Sur le mur d'à côté, un cafard file à vive allure, champion toutes catégories. Je le suis des yeux tandis que Maman s'approche de lui et de ses frères, l'arme à la main — et tout à coup je tremble pour lui.

Maman gagne du terrain. Elle estourbit au passage tous ceux qui l'escortent de loin, mais il a beau avoir de l'avance je sais que ses secondes sont comptées.
— Hé, Maman ! je crie très fort. Il y en a plein, là, sous l'évier. Vite, ou ils vont s'en aller !

Maman se retourne, et mon cafard en profite pour se glisser dans une fissure.

Le lendemain, je vais voir Mme Carpenter pour lui parler de mon projet de dossier. Tous les autres ont choisi le leur. Moi, comme je n'avais pas le mien, depuis quelques jours Mme Carpenter était à mes trousses, comme Maman après ses cafards.
— S'il vous plaît, je lui demande. Est-ce que je peux faire un dossier sur des insectes ?
— Mais bien sûr, Fran Ellen, dit Mme Carpenter, l'air surpris.

Les autres ont presque tous pris des sujets qu'elle a suggérés — par exemple faire germer des graines, ou dessiner des planètes. Je suis sans doute la seule à proposer un sujet à mon idée.

— J'en apporterai deux ou trois, je lui dis. Dans un bocal de verre.

— Excellente idée, dit Mme Carpenter. Et bien sûr tu nous prépareras un petit exposé sur la vie de ces insectes. Leur habitat, leur nourriture, leur mode de reproduction... A quel insecte songes-tu ?

— De quelle longueur, l'exposé ? Est-ce que ce serait une bonne idée que j'aille à la bibliothèque pour essayer de trouver des informations ?

Je n'ai pas l'intention de répondre à sa question, et le meilleur moyen est de l'obliger à répondre aux miennes. Quelque chose me dit qu'elle n'aimerait guère l'idée d'avoir des cafards dans sa classe.

J'avais raison. Elle n'est pas ravie. J'en ai apporté deux dans un vieux pot à mayonnaise, avec des bribes de spaghettis, de carottes et de chocolat pour qu'ils ne soient pas malheureux.

— Des cafards ! s'écrie Mme Carpenter. Ce sont des cafards.

— Je sais, Madame. Je les ai attrapés

hier dans ma cuisine. Je pourrai en apporter d'autres si vous voulez.

— Oh non, Fran Ellen, dit Mme Carpenter. Deux cafards, pour moi, c'est déjà deux de trop.

— Dès ce soir, je lui promets, je m'attaque à mon exposé. J'ai pris des tas de livres à la bibliothèque, il me faudra du temps avant d'avoir tout lu.

— Apporte-nous ce dossier dès que possible, dit Mme Carpenter. Le cafard n'est pas mon animal favori. Je ne sais pas pourquoi, je m'étais mis en tête que tu allais étudier les hannetons, ou les fourmis.

— D'accord, Madame. Je vais m'y mettre. Je m'y mettrai dès ce soir.

Tous les jours elle me demande si mon exposé est prêt, et tous les jours je réponds : « Bientôt. » Je ne suis pas pressée, parce que quand j'en aurai terminé elle jettera mes cafards, je le sais. Le premier jour, devant le bocal, les autres disent « Berk ! » en faisant la grimace. Mais deux jours plus tard Joey Rupp leur trouve des noms — Roméo et Juliette — et les autres me demandent s'ils peuvent leur donner des miettes.

— Bien sûr, je leur dis. Allez-y.

Au bout d'une semaine, Mme Carpenter déclare qu'elle veut voir mon dossier sur son bureau le lendemain. Elle dit que je ferai mon exposé à la classe, et qu'ensuite nous pourrons nous débarrasser de ces cafards.

Je rentre à la maison et j'ouvre les livres que j'ai rapportés de la bibliothèque. L'un d'eux assure que les cafards sont des insectes dégoûtants qui se nourrissent d'ordures et propagent des maladies. L'autre dit que les cafards sont des insectes dégoûtants qui se nourrissent de déchets et, à ce qu'on suppose, propagent des maladies... mais que cette dernière affirmation n'a jamais été prouvée.

J'ouvre un autre livre. Je lis, je lis, je lis encore. Et puis je rédige mon dossier. J'en écris trois pages en tout, mon record. Mais quand je vais me placer face à la classe pour le lire tout haut, le lendemain, il y a déjà deux ou trois zouaves qui font semblant de tomber endormis. Avant même que j'aie commencé.

Tant pis, je me lance. Je leur dis que les cafards existaient déjà il y a plus de trois cent cinquante millions d'années, qu'il y en avait au temps des dinosaures, et qu'ils ont la vie si dure que sans doute ils seront encore là dans trois cent cinquante millions d'années.

La nouvelle est accueillie avec des soupirs.

Je leur dis qu'on trouve des cafards un peu partout à travers le monde, et qu'ils mangent n'importe quoi. Je décris le petit sac d'œufs que porte la femelle, je parle de leur cycle de vie, de deux ou trois autres choses encore. Je termine en disant qu'on accuse les cafards de propager des maladies, mais que personne n'a jamais pu le prouver. Et qu'à mon avis on devrait avoir honte d'accuser comme ça sans savoir, même quand il ne s'agit que de cafards.

— Ma foi, dit Mme Carpenter, voilà un exposé tout à fait intéressant, Fran Ellen. Et un point de vue original, je dirais.

Ensuite, elle demande aux autres s'ils

ont des questions à poser. Bien entendu, personne n'en a, mais quand Mme Carpenter conclut qu'à présent je peux nous débarrasser de ces cafards puisque j'ai fait mon exposé, je lui dis que ça m'ennuie beaucoup de les jeter.

— Est-ce qu'on ne pourrait pas les garder, Madame, s'il vous plaît ? Puisqu'ils ne peuvent pas sortir de leur bocal.

Alors Joey Rupp déclare que lui aussi est d'avis qu'on devrait les garder dans la classe, et Maria Hernandez approuve. Elle dit qu'ils sont comme des mascottes.

Mme Carpenter soupire et répond qu'ils peuvent rester dans la classe, mais que je devrai m'en occuper et veiller à ce qu'ils ne sortent pas. Et elle me met un A pour mon exposé.

Florence et Maman sont dans ma chambre — la mienne et celle de Felice — et c'est de ma Maison des Ours qu'elles parlent. Sauf que franchement, à les entendre, on ne dirait pas qu'elle est à moi.

— Regarde ce papier peint, Maman, dit Florence. Tu ne crois pas qu'il ferait bien dans le séjour ?

— Non ! je l'interromps. Pas de papier peint chez les ours.

Maman termine la deuxième paire de doubles rideaux, pour la deuxième fenêtre du séjour. Il y a une fenêtre de chaque côté de l'emplacement où était la cheminée — où il y en aura bientôt une autre, parce que Fletcher en fabrique une, en secret paraît-il, pour nous en faire la surprise à Noël. Maman est en train de coudre des petits bouts de dentelle sur une bande de velours grenat qui était un col de manteau, je crois. La première paire de rideaux est déjà en place à l'autre fenêtre, et c'est tellement chic que le reste de la pièce fait un peu miteux à côté.

— Et tu verras, prédit Maman. Des surprises, il y en aura bien d'autres, d'ici à la fin du mois.

— Oh oui, renchérit Florence. Il va y avoir du changement. Et en mieux.

— D'accord, mais pas de papier peint,

118

je leur rappelle. Le papier peint, je n'en veux pas. J'ai l'intention de tout repeindre dès que j'aurai de quoi acheter de la peinture. L'extérieur sera en blanc avec les moulures en bordeaux, et à l'intérieur ce sera crème partout. C'était comme ça, avant. Je veux que ça redevienne comme avant.

La fenêtre de la cuisine a déjà ses rideaux : deux rideaux bonne femme que Maman a taillés dans un vieux mouchoir brodé de fleurs. Et pour les rideaux de la chambre, ruchés comme sur les images, elle s'est servie d'un tissu à carreaux rouges et blancs, le même que pour les couvre-pieds de Maman Ourse et Papa Ours.

— Et Petit Ours ? je lui demande. On est en hiver, maintenant, et il n'a que la pauvre couverture que je lui ai faite avec ton tablier. Il est obligé de garder tout le temps ce vieux doigt de gant que lui a mis Felice.

— Pour Petit Ours, j'ai mon idée, répond Maman.

Florence aussi a son idée, et elle n'en démord pas :

— L'oncle de Joyce vend du papier

peint, son oncle Alan. Il peut nous procurer des tonnes d'échantillons. Si tu trouves que celui-là ne va pas avec les rideaux, Maman, je peux dire à Joyce de lui en demander d'autres.

— Mais puisque je viens de te dire que je ne veux pas de papier peint ! (Elle le fait exprès ou quoi ?) Ni celui-ci, ni un autre. Pas de papier peint chez mes ours.

— Ce n'est plus vraiment *tes* ours, tu sais, dit Florence. N'est-ce pas, Maman ?

Maman coupe le fil avec ses dents et présente le rideau devant la fenêtre encore nue.

— Alors ? N'est-ce pas que c'est joli ? Et si c'est moi qui le dis, c'est que c'est vrai.

— En tout cas, pas de papier peint ! je rappelle à Florence.

Quelquefois, quand j'entre dans la chambre et que Felice est là, toute seule, assise devant la Maison des Ours, elle lève les yeux vers moi d'un air un peu surpris, comme si elle ne me reconnaissait pas du premier coup. Je crois que je sais pourquoi, et j'en ai un petit pincement de cœur. Mais c'est l'affaire d'une minute, pas plus. Felice a changé, je trouve. D'accord, elle est toujours un peu ronde, et un peu nigaude aussi, mais finalement elle est bien brave — au fond, c'est peut-être elle que je préfère, maintenant. Maintenant que Flora n'est plus là.

Parfois elle me dit qu'à l'école les autres lui font des misères. Ils la traitent de grosse patate et quelquefois même ils la tapent et la font pleurer.

Moi, ça me met en colère.

— Qui fait ça ? je lui demande. Dis-moi qui.

J'ai envie de mordre, mais que faire ? Je ne vais tout de même pas flanquer des raclées à des gamins de sept ans pour venger ma sœur. Ce n'est pas l'envie qui me manque, pourtant, mais ça ne se fait pas. En plus, je ne vais pas à la même école que Felice. Et ceux qui la tourmentent le plus n'habitent même pas dans le quartier.

— Tu sais ce qu'il faut que tu fasses ?

je lui dis. Il faut leur tenir tête. Ne pas te laisser marcher sur les pieds.

— Mais ils sont plus grands que moi.

— Dans ce cas-là, tu les évites.

— J'essaie, mais ils veulent pas me laisser.

— Cours te cacher quand tu les vois venir.

— Ils courent plus vite que moi.

— Ecoute, Felice. Je vais te dire quelque chose. Quand j'étais petite, j'étais comme toi, alors je sais de quoi je parle. Avant — avant que Maman soit malade et qu'on l'envoie à l'hôpital — moi aussi les autres m'en faisaient voir de dures, et jamais je ne répondais. Jamais je ne rendais les coups. Mais ce n'est pas la solution, tu sais. Il faut répondre. Je t'assure. Rendre les coups.

Elle se blottit tout contre moi.

— Oui mais... ils taperont encore plus dur, c'est tout.

— Non. Tu verras. Pas si tu leur rends coup pour coup. Après ça, ils te ficheront la paix. C'est ce qui s'est passé pour moi. Et même, si ça se trouve, après ça ils deviendront tes amis.

— Pas besoin d'amis, marmotte Felice.

— Bien sûr que si, tu as besoin d'amis. Tout le monde a besoin d'amis.

— Mais toi, t'en as même pas, dit Felice.

— Moi ? Evidemment que si, j'en ai. A l'école, j'en ai.

Elle se niche encore plus près de moi.

— Moi, j'aime mieux être ici avec toi et jouer à notre Maison des Ours.

Notre Maison des Ours ? Je suis sur le point de protester : « Minute ! C'est ma maison, pas la tienne. Elle est à moi, rien qu'à moi. » Mais je me retiens. Je revois tout à coup le temps où c'était moi le canard boiteux, à l'école, moi que les autres ne laissaient jamais en paix. Mes seuls moments de tranquillité, c'était dans la Maison des Ours. Là seulement j'étais en sécurité. Je revois le temps où je m'inventais des rêves. Je disais que j'habitais là, avec les ours et Boucle d'Or, et qu'ils m'adoraient tous les quatre, que toujours ils guettaient ma venue.

— Dis-moi à quoi tu jouais, avec la Maison des Ours, quand tu étais petite, me presse Felice.

— Tu le sais par cœur. Je te l'ai dit cent fois. On jouait ensemble tous les trois, Petit Ours et Boucle d'Or et moi, et...

— Boucle d'Or, je la déteste. Je ne veux pas qu'elle revienne ici, jamais, jamais !

— Pour ça, tu n'as pas à t'en faire.

— Raconte comment les ours ont fêté ton anniversaire, pour tes dix ans. Parle-moi du gâteau qu'avait fait Maman Ourse. Dis-moi ce qu'ils avaient mis, dans les paquets-cadeaux.

— Mais ça aussi, tu le sais. Je te l'ai dit au moins mille fois.

— Tant pis, je veux l'entendre encore. S'il te plaît. Fran Ellen. Raconte.

Elle a réussi à se glisser sur mes genoux et nous sommes là, toutes les deux, sur le plancher, devant la Maison des Ours. Elle suce un bonbon à la menthe, et je respire son haleine poivrée chaque fois qu'elle ouvre la bouche. Elle a encore perdu une dent, hier. Je lui ai dit de la mettre sous son oreiller, on ne sait jamais, peut-être que le lutin finirait par passer. Je la soupçonne d'avoir deviné qui est le lutin, en réalité, mais elle a été toute contente de découvrir la pièce d'un *quarter** sous son oreiller ce matin.

* *quarter :* pièce de monnaie valant un quart de dollar (environ 1,40 F en 1990).

Je la garde sur mes genoux et je lui raconte comment Maman Ourse inventait des histoires pour moi, et comment Papa Ours me prenait sur ses genoux. Avant. Il y a longtemps. Avant qu'ils soient furieux contre moi.

— Oh ! mais ils ne sont plus furieux contre toi, assure Felice, la tête sur mon épaule. Ils disent que c'est de la faute de Boucle d'Or, tout ça. C'est contre elle qu'ils sont furieux, maintenant. Toi, ils ne t'en veulent plus du tout, Fran Ellen. Au contraire. Ils t'aiment bien.

— Comment tu le sais ?

— Comme ça. Je le sais.

Mme Carpenter demande qui voudra bien prendre en pension les plantes de la classe pendant les vacances de Noël.

— Moi, Madame, je lui dis.

Je tiens à faire preuve de bonne volonté ; je devine ce qui va suivre.

Mme Carpenter me confie le pied de langue de belle-mère. Lisa Franklin prend les deux misères, Dolores Aponte la corne d'élan. Joey Rupp se propose pour héberger les poissons tropicaux, mais Mme Carpenter dit qu'elle va sans doute les prendre elle-même. Puis elle pose les yeux sur moi.

— Fran Ellen, il va falloir aussi que tu emportes chez toi nos deux spécimens de *blatella germanica*.

C'est comme ça qu'elle appelle Roméo et Juliette ; ça veut dire blatte d'Allemagne, je crois.

— Il vaudrait mieux pas, vous savez. Jamais Maman ne voudra.

— En ce cas, dit Mme Carpenter, nous pouvons les laisser ici, mais je doute qu'ils soient encore en vie à notre retour de vacances.

— Moi, je peux les prendre, propose Joey Rupp. Mon père, ça lui est égal. Je peux avoir ce que je veux dans ma chambre, du moment que ça ne fait pas de bruit. Comme il travaille de nuit, il dort presque toute la journée. Si ça se trouve, il remarquera même pas que je les ai avec moi.

— Non, moi ! s'écrie Maria Hernandez. Ils sont devenus si gros, tous les deux, qu'à mon avis il vaudrait mieux les mettre dans un bocal plus grand. On en a plein, de bocaux, à la maison. Je leur en donnerai un grand, tapissé de bouts de papier journal. Je suis sûre que ça leur plaira.

D'autres encore se proposent pour héberger nos cafards, et Mme Carpenter se met à rire. Elle dit qu'aucune bestiole n'a eu autant de succès dans sa classe que ces deux spécimens de *blatella germanica,* et qu'elle n'en revient pas qu'ils soient encore en vie malgré toutes les « saletés » que nous leur avons données à manger. (Pour Mme Carpenter, les bonbons, les chips, les cacahuètes grillées ne sont que des « saletés ».) Elle conclut en déclarant que Joey Rupp peut les prendre, puisque c'est lui qui s'est porté volontaire le premier.

— Au fait, où est-ce que t'habites ? me demande Joey comme nous passons la porte ensemble.

Je serre contre moi le grand pot de langue de belle-mère, et lui tient le bocal de Roméo et Juliette.

Je lui donne mon adresse. Il répond que c'est juste à trois rues de chez lui, et que je pourrai venir voir mes cafards

pendant les vacances de Noël si je m'ennuie d'eux.

— M'étonnerait, je lui dis. J'ai leurs
frères et sœurs et leurs petits-cousins
pour me tenir compagnie.

Il rit et moi aussi.

Florence a confectionné une petite
couronne de Noël avec du ruban rouge
pour orner la porte de la Maison des
Ours. Et pour l'intérieur, elle a préparé
un sapin fait d'un rameau de pin décoré
de breloques et autres bijoux. Elle a
posé un petit oiseau d'argent sur la
cime, avec un poisson doré et un cœur
rouge en dessous. En guise de guirlan-
des, elle a accroché des chaînettes
dorées, avec des vieilles boucles d'oreilles au bout des branches.

Et en plus, maintenant, accroché au
plafond du séjour, il y a un lustre d'or
et de cristal. C'est Florence qui l'a mis
là. Il n'y avait pas de lustre, avant, mais
celui-là est tellement beau qu'on en a
le souffle coupé. Il est si beau que je

ne peux pas m'empêcher de le dire à Florence :

— C'est le plus beau lustre que j'aie jamais vu. De toute ma vie. Il fait un effet super.

Elle est si contente qu'elle ne tient plus en place.

— Oh ! si tu savais, Fran Ellen. Il me tardait tellement que tu le voies ! N'est-ce pas qu'on dirait qu'il a toujours été là ? Et pourtant, tu sais ce que c'est ? Un vieux pendant d'oreille, c'est tout. Il était à la sœur de Joyce, Shauna. Elle a perdu l'autre et elle ne sait même pas pourquoi elle a gardé celui-là. De toute façon, elle est trop boulotte pour porter d'aussi gros pendants d'oreilles. Mais vois comme il prend la lumière dès qu'il bouge un peu.

Nous sommes tous dans ma chambre, tous les cinq ; c'est le matin de Noël et nous apportons leurs cadeaux aux ours.

Maman a confectionné un couvre-pieds en patchwork pour Petit Ours. Il est joli, mais pas tout à fait autant que l'ancien. Je ne le dis pas à Maman, elle est tellement heureuse. Elle n'arrête pas de répéter que sa grand-mère Carver et son arrière-grand-mère Harrison étaient réputées pour leurs patchworks. Et qu'au temps où elle était petite chacun avait son couvre-pieds en patchwork, chez elle. Et qu'elle va écrire là-bas — elle veut parler d'Harlan, en Alabama — pour voir si sa cousine Marybelle sait ce que sont devenus les couvre-pieds qu'elle a laissés quand nous avons déménagé pour venir ici, dans le Nord. Et elle dit que peut-être, pourquoi pas ? elle va en coudre un, un vrai, grandeur nature. Il sera pour Fletcher, sans doute, puisque c'est l'aîné, mais plus tard, sans doute, elle en coudra un pour chacune de nous.

Maman a confectionné aussi un petit tapis rond pour la chambre des ours. Il est bien plus beau que celui que je leur ai découpé dans un chapeau de paille, le mois dernier. Maman dit qu'elle en fera un plus grand pour le séjour, quand elle aura le temps.

Je savais que Fletcher fabriquait une cheminée, et je ne me trompais pas. Elle est en tout point aussi jolie que l'ancienne, à nous faire pousser des oh ! et des ah !

— Ce n'est jamais que de bêtes cailloux collés sur une boîte d'allumettes, murmure Fletcher, modeste.

Mais moi, je sais qu'il est content, je le vois à ses oreilles qui deviennent toutes roses. Fletcher a les oreilles qui deviennent roses quand il est content.

Cela dit, c'est vrai, la cheminée n'est une surprise qu'à moitié.

En revanche, quand Fletcher nous a dit de déguerpir de notre chambre, Felice et moi, ce matin, il nous a bel et bien prises de court. Pendant deux heures d'affilée, il nous a interdit d'entrer, et quand nous demandions à Maman ce qu'il fabriquait elle répondait :

— Un peu de patience, vous verrez bien.

Enfin, il a ouvert la porte et lancé à plein gosier :

— Pouvez venir !

On est toutes venues, même Maman. Fletcher était là qui nous regardait, Felice et moi, et qui guettait notre réaction.

Felice a compris la première.

— Des carreaux ! Tu as remis des carreaux aux fenêtres ! Youpii ! Les ours vont avoir bien chaud !

Moi, je leur ai fait un canapé neuf avec des morceaux de mousse d'emballage que j'ai recouverts de soie à rayures bleues et vertes — les restes d'une cravate dénichée à la poubelle. On dirait un vrai canapé, et j'aime bien aussi les deux petits tapis que j'ai faits avec la fourrure d'un bonnet.

— Maintenant, pouffe Felice, tu fermes les yeux, Fran Ellen. Et pour de bon, hein ? J'ai quelque chose à mettre dans la Maison des Ours, et je veux pas que tu regardes.

Je ferme les yeux. L'opération prend du temps, et apparemment Felice ne s'en sort pas toute seule, parce que pour finir j'entends Florence lui dire :

— Laisse-moi faire, va.

Là-dessus, Fletcher déclare :

— Non, c'est un peu de travers.

Et moi, pendant tout ce temps, je tiens mes yeux fermés.

— Voilà, Fran Ellen, dit Felice enfin. Tu peux rouvrir les yeux.

Je les rouvre — et au début je ne vois rien de changé.

Felice est déçue. Elle me dit :

— Je vais t'aider. C'est dans le séjour.

Je regarde dans le séjour. Je vois les doubles rideaux grenat, le canapé rayé bleu et vert, le lustre, les tapis, la cheminée... Et tout à coup je vois ce que c'est.

— Felice... (J'en bégaye.) Tu... C'est toi qui as fait ça ? Toute seule ?

— L'idée est de moi, dit Felice. Mais Maman m'a un peu aidée.

— Un peu seulement, confirme Maman.

Au-dessus de la cheminée, dans un cadre de bois tout rond, il y a un portrait — le mien.

— La photo est déjà un peu vieille, dit Felice. Tu avais juste neuf ans, là-dessus. Mais Maman dit que bientôt on prendra des photos, alors on n'aura qu'à en recoller une nouvelle par-dessus.

J'en reste muette. Felice continue :

— Le cadre, c'est un gros bouton de bois que Maman avait dans sa boîte. On dirait un vrai cadre, tu trouves pas ? Hein que ça fait joli ?

Elle n'a pas tort, ça fait joli et je le lui dis. Je lui dis que c'est une très bonne idée, et je la serre bien fort contre moi. Mais j'ai un peu le cœur gros de voir mon portrait accroché là, au-dessus de la cheminée. Et je sais pourquoi.

Le nuage ne fait que passer. Il est grand temps de laisser les ours fêter Noël en paix et de fêter le nôtre. Parce qu'il y a des cadeaux pour nous aussi. Nous allons tous dans le séjour regarder au pied du sapin. C'est seulement un tout petit sapin mais Maman dit que l'an prochain on en aura un grand, un vrai. Maman espère travailler, cette année ; notre budget sera moins serré.

Elle espère trouver du travail comme serveuse dans un restaurant. Une voisine de l'étage au-dessus travaille dans un restaurant de poisson, et elle dit qu'avec les pourboires elle n'est vraiment pas à plaindre. Elle a promis à Maman de la recommander auprès des patrons, et peut-être que Maman trouvera un emploi là elle aussi.

Fletcher dit qu'il compte travailler un soir de semaine à la pizzeria, en plus de son service du week-end. Mais Maman n'y tient pas : son travail de classe doit passer d'abord. Maman espère bien que Fletcher fera des études supérieures, il en est tout à fait capable. Maman est très fière de Fletcher.

Florence annonce qu'elle gardera des enfants, et je dis que moi aussi, je pourrai le faire.

— Non, pas déjà, Fran Ellen, dit Maman. Pour le moment, tu me rends bien plus service en gardant l'œil sur Felice. Et ce sera encore plus vrai si je travaille. Surtout qu'il n'y a que toi qui saches la tenir en main.

Je ne dis rien mais je suis contente. Je n'ai vraiment pas de mal à tenir Felice en main, mais c'est bon de savoir que Maman apprécie.

Les cadeaux sont empilés au pied de l'arbre. Fletcher nous distribue des bons pour des repas gratuits à la pizzeria, et il offre à Maman une paire de gants de cuir. Florence a choisi pour nous des presse-papiers transparents. Dans le mien, il y a des patins à glace sur un lac gelé, dans celui de Felice un Père Noël et son renne. Quand on les secoue, il neige à l'intérieur.

— Joli comme tout, dit Maman en retournant le sien pour faire tomber la neige.

Dans le sien, il y a un grand sapin, avec des petits sapins autour.

Moi, j'offre à chacun un gros savon fantaisie — je les ai achetés au bazar du coin — et Felice des cartes de vœux de sa fabrication, une pour chacun. Sur la mienne elle a écrit JOYEUX NOEL FRAN ELLEN, au milieu d'un dessin qui représente un sapin de Noël avec des boules rouges et bleues. Maman nous offre à chacun une écharpe et une paire de gants chauds. Elle prévient Felice, l'air sévère :

— Et tâche de ne pas les perdre.

Mais elle n'est pas en colère. Pas aujourd'hui. C'est Noël.

Les cadeaux échangés, tout le monde suit Maman à la cuisine pour l'aider à faire le repas.

— L'an prochain, dit Maman, on aura peut-être un service de vaisselle tout neuf.

Mais nos assiettes dépareillées ne changent rien à ce qu'il y a dedans. Et ce qu'il y a dedans est bon. Nous n'avions rien mangé de si bon depuis — oh ! depuis des années. Maman est un vrai cordon bleu, quand elle s'y met.

Elle nous sert un menu de roi : dinde rôtie farcie au maïs, patates douces aux marshmallows, sauce aux airelles, salade de moutarde, et pour dessert deux tartes, une à la pomme, l'autre à la noix de pecan. Je prends des deux.

Plus tard, après avoir aidé Maman à faire la vaisselle, je retourne dans ma chambre. Felice est là, assise par terre devant la Maison des Ours et je l'entends chuchoter très bas. Elle chuchote avec les ours. Comme je le faisais, avant... Mais maintenant ils ne m'entendent plus, et moi non plus je ne les entends plus. C'est pour ça que j'ai eu le cœur gros en voyant mon portrait au-dessus de la cheminée. Il n'a plus rien à faire là parce que ce n'est plus ma maison. Un de ces jours, quand j'aurai une photo de Felice, c'est elle que je mettrai à la place. Parce que c'est sa maison, maintenant.

Janvier

Roméo et Juliette sont parents ; ils ont même une famille nombreuse. L'heureux événement a eu lieu dans la nuit du Premier de l'An, m'a dit Joey Rupp. Le 31 décembre au soir, ils n'étaient encore que deux, et le lendemain, le 1ᵉʳ janvier, ils étaient tous là quand il a regardé. Toute une nichée de petits cafards pour célébrer la nouvelle année.

Ils sont assez nombreux, dit Maria, pour qu'on donne à chacun le nom de quelqu'un de la classe, Mme Carpenter comprise.

Elle, ça lui est égal. Elle dit qu'elle n'aurait jamais cru que sa classe devien-

143

drait célèbre pour son élevage de cafards, mais elle est contente de nous voir nous intéresser à quelque chose. A chaque cours elle nous apporte des informations sur les insectes, et bientôt on va tous aller en sortie éducative au Muséum d'Histoire naturelle, pour voir la collection d'insectes. Moi, je n'y suis jamais allée, mais Maria Hernandez connaît et elle dit que la cafétéria est super.

Maria a apporté un bocal géant pour les cafards et nous restons à trois ou quatre après la classe pour procéder au déménagement. Je déchiquète du papier journal pour en tapisser le nouveau logement, Joey Rupp confectionne un couvercle en treillis à maille fine.

Transférer d'un bocal dans l'autre toute une bande de cafards n'est pas une mince affaire. Ils n'ont qu'une idée, prendre le large, et Mme Carpenter est un peu sur les dents. Si nous n'arrêtons pas de faire les clowns, elle nous dit, elle jette tout l'élevage aux toilettes. Mais elle ne parle pas sérieusement. Elle commence à s'y attacher autant que nous, à ces bestioles, j'ai l'impression.

L'opération terminée, il ne reste que nous trois — Joey Rupp, Maria Hernandez et moi. Quand nous arrivons en bas, il pleut. Alors nous restons un moment sous le porche, à regarder tomber la pluie. Nous sommes encore tout contents d'avoir déménagé les cafards, et aucun de nous n'a l'air pressé de rentrer chez lui.

— Et si vous veniez chez moi ? dit Maria tout à coup.

Elle explique qu'elle habite juste au coin, et qu'on pourrait regarder les autres bocaux de sa mère, histoire de voir si on en trouve un encore plus grand, ou même chercher un aquarium vide au cas où la famille *Blatella* s'agrandirait encore.

Alors on va chez elle tous les trois. Il n'y a personne à la maison. Ses parents travaillent, et aussi ses frères et sœurs, quatre, je crois. Maria est la plus jeune. Leur appartement est plein comme un œuf, avec des meubles partout et des tas de choses à voir, pas seulement des bocaux ou un aquarium vide.

On boit du lait, on mange des biscuits, on pique des fous rires. Joey Rupp fait le singe, ou plutôt le cafard : à plat ventre sur le tapis, il agite les doigts par-dessus sa tête comme si c'étaient des antennes. Maria dit qu'elle peut faire mieux et moi aussi. Nous voilà tous les trois en train de ramper par terre et de rire comme des bossus, et c'est comme ça que nous surprend le père de Maria à son retour. Maria essaie de lui expliquer ce qu'il y a de si drôle, mais il n'a pas l'air de trop bien saisir.

Alors Joey et moi disons qu'il est temps de rentrer chez nous.

— La prochaine fois, je conclus, c'est chez moi que vous viendrez, d'accord ?

— *Au printemps, dit Maman Ourse, je repeindrai cette maison de fond en comble.*

— *De quelle couleur ? demande Petit Ours.*

Il grignote un beignet en surveillant la porte.

— *Je ne sais pas trop, répond Maman Ourse. Fran Ellen aimerait l'extérieur* en blanc avec les moulures bordeaux, et l'intérieur en crème partout, mais moi, je serais tentée par du rouge au dehors, et au dedans je verrais volontiers une couleur différente pour chaque pièce.

— Moi aussi, dit Papa Ours. (Il dépose son journal ; lui aussi surveille la porte d'entrée.) Peut-être qu'elle changera d'avis.

— Je le crois, dit Maman Ourse, les yeux sur la porte d'entrée. Je crois qu'elle changera d'avis.

— Elle est en retard, proteste Petit Ours en descendant de sa chaise. Moi, il me tarde qu'elle rentre. J'ai envie de jouer, moi !

Il va se planter devant la porte.

— Veux-tu bien ne pas rester devant cette porte ! le gronde Maman Ourse. Tu sais bien qu'elle est à l'école. Elle rentrera dès que la classe sera finie. Pour le moment, reviens à table et termine ce beignet. Et tâche de ne pas faire de miettes.

— Est-ce que je peux regarder la télé ? demande Petit Ours. Jusqu'à ce qu'elle arrive, bien sûr. Parce que j'aime encore mieux jouer avec elle. Et je la préfère à

Boucle d'Or, ça oui. Boucle d'Or, maintenant, je la déteste.

— Oui, tu peux regarder la télé, dit
Maman Ourse. Mais ne mets pas les
pieds sur le canapé.

Petit Ours va dans le séjour, il allume
la télé — un beau poste tout neuf.

— Sacré gamin, glousse Papa Ours. Il en
est fou, de cette télé.

— Sûr, dit Maman Ourse. Quelle chance
d'avoir pu nous l'offrir! Quel confort,
maintenant, dans cette maison!

Elle continue de guetter la porte, et
Papa Ours se met à rire :

— Il te tarde qu'elle arrive, hein ? Tu es
pire que ton fils, tu sais. Ne t'inquiète
donc pas. Elle va arriver. C'est son heure.
Elle ne laisse pas passer un jour.

— C'est vrai, dit Maman Ourse. C'est
une enfant adorable, un vrai rayon de
soleil.

A cet instant, j'arrive à la porte. Petit
Ours m'a entendue, il traverse le séjour
en courant.

— La voilà, la voilà !

— Bonjour, tout le monde ! je leur dis,
et je file droit à la cuisine.

Je sais que dans le four il y a quelque

chose de bon. Tous les jours Maman Ourse me prépare un goûter — des tuiles à la noix de coco, des petits cakes à la vanille, est-ce que je sais ?

Ils sont si contents de me voir, tous trois ! Ils en sourient jusqu'aux oreilles et moi aussi je souris, parce que c'est bon d'être attendue de cette façon, c'est bon d'être fêtée comme une princesse ou même une reine.

Je répète :

— Bonjour, tout le monde. Me revoilà.

Alors Petit Ours crie de plus belle :

— La revoilà ! Elle est de retour ! Revoilà Felice !

Table des matières

l'Atelier du Père Castor présente

la collection Castor Poche

La collection Castor Poche vous propose :

- des textes écrits avec passion par des auteurs
  du monde entier,
  par des écrivains qui aiment la vie,
  qui défendent et respectent les différences;
- des textes où la complicité et la connivence
  entre l'auteur et vous se nouent et se
  développent au fil des pages;
- des récits qui vous concernent parce qu'ils
  mettent en scène des enfants et des adultes dans
  leurs rapports avec le monde qui les entoure;
- des histoires sincères où, comme dans la réalité,
  les moments dramatiques côtoient
  les moments de joie;
- une variété de ton et de style où l'humour,
  la gravité, la fantaisie, l'émotion, la poésie
  se passent le relais;
- des illustrations soignées, dessinées par des
  artistes d'aujourd'hui;
- des livres qui touchent les lecteurs à différents
  âges et aussi les adultes.

Un texte au dos de chaque couverture vous présente les héros, leur âge, les thèmes abordés dans le récit. Vous pourrez ainsi choisir votre livre selon vos interrogations et vos curiosités du moment.

Au début de chaque ouvrage, l'auteur, le traducteur, l'illustrateur sont présentés. Ils vous invitent à communiquer, à correspondre avec eux.

CASTOR POCHE
Atelier du Père Castor
7, rue Corneille
75006 PARIS

293 **L'enfant du vent**
par Ashley Brian

Quatre récits, mi-contes, mi-fabliaux, issus de différentes cultures d'Afrique noire. A-t-on jamais vu un lion père d'une nichée d'autruchons ? Un gamin joue avec l'enfant du vent et découvre son secret. Le lièvre en a assez des jeux du chacal. L'enfant qu'on appelait le Nigaud devient astucieux en grandissant...

294 **Le libre galop des pottoks**
par Résie Pouyanne

Pampili rêve de voir les pottoks, ces mystérieux chevaux sauvages qu'il entend galoper dans la nuit. Un jour, avec son copain Manech, Pampili sauvera une jeune pouliche tombée dans une ravine. Et c'est le début d'une grande amitié entre le garçon et l'animal.

295 **Le jardin secret**
par Frances Hodgson Burnett

Seule survivante d'une épidémie de choléra dans un petit village des Indes, Mary arrive en Angleterre pour vivre chez son oncle dans un immense manoir isolé. L'oncle Archibald est un homme étrange et dans cette demeure emplie de mystères, Mary va de surprise en surprise...

296 **Pièce à conviction** (senior)
par Bernard Ashley

Hold-up manqué à Londres. Sam, le chauffeur de taxi qui avait pris les bandits en charge, découvre dans son véhicule un objet qui pourrait bien servir de pièce à conviction. Il l'empoche. Grâce à cet objet clé, Sam espère tenir la dragée haute à la mafia qui terrorise le quartier, et par là protéger les siens. Mais c'est sa petite-fille, Paula, qui va devoir du haut de ses quatorze ans faire face au plus gros de la tourmente.

301 **La croisade des grenouilles** (senior)
par Stephen Tchudi

Depuis des années, David Morgan, seize ans, élève des têtards prélevés dans le marais pour les observer avant de les rendre à leur eau natale. Mais, ce printemps-là, David apprend la construction prochaine d'un grand centre commercial après assèchement des lieux ! Avec son ami Mike, David lance une enquête et tente d'enrayer le projet...

302 **Rue Planquette**
par Sandrine Pernush

Elsa maudit Paris, la touffeur du mois d'août, cette rue Planquette où, désormais, elle devra habiter."On" l'a forcée à déménager,"on" l'a arrachée à Bordeaux, à sa meilleure amie. Elsa refuse de commencer une nouvelle vie. Pourtant, un après-midi d'orage, elle aperçoit un garçon sous un parapluie rouge...

303 **Nouvelles d'aujourd'hui** (senior)
par Marcello Argilli

Un éventail d'histoires courtes, à la fois cocasses, inquiétantes et tendres. La télévision, l'école, les robots, la magie des mots, les contes, le temps, le pouvoir de l'imagination... Autant de thèmes, traités avec humour et un sens critique décapant, qui laissent à penser, à réfléchir.

304 **Millie et la petite clé**
par Anne-Marie Chapouton

Millie vient d'arriver chez sa grand-mère. Elle va sûrement y vivre des aventures extraordinaires, comme à chaque fois. Quand elle trouve une petite clé dorée, elle a tôt fait de découvrir la porte nichée sous le lierre. Et la voilà dans un immense jardin enchanté. Au détour des sentiers, le long du chemin creux, Millie va aller de frayeurs en surprises...

305 **L'enquête. Les enfants Tillerman (senior)**
par Cynthia Voigt

A seize ans, James est mal dans sa peau. Toujours brillant en classe, il reste un solitaire qui se lie difficilement. Il voudrait en savoir plus sur ce père qui a abandonné sa femme et ses quatre enfants. James tente d'entraîner son frère dans son enquête. Sammy se laisse prendre au jeu, qui bientôt n'en est plus un...

306 **Un cheval de prix**
par Mireille Mirej

Nathalie, onze ans, est passionnée de chevaux. Pourtant, elle n'a jamais eu l'occasion de monter à cheval. Un télégramme fait basculer son univers : on lui offre un cheval. Comment héberger un tel animal quand on habite une cité de la banlieue parisienne ? La partie n'est pas facile à gagner...

307 **José du Brésil (senior)**
par Aurélia Montel

Au début du siècle, au Brésil, la vie est rude pour les paysans du Ceara. Quand le jeune José découvre le vieil homme qui l'a recueilli, mortellement blessé, c'en est trop pour lui. José entame alors une longue marche vers la côte qui le conduit jusqu'en Amazonie. Cependant, l'adversité, sous l'inquiétant visage d'un aventurier redoutable, s'attache aux pas de José...

308 **Julie, mon amie gorille**
par Francine Gillet-Edom

Hier encore, Aubrée était à Bruxelles et la voilà pour un mois au Zaïre. Lors d'une promenade à cheval avec son cousin, elle découvre un bébé gorille blotti auprès de sa mère morte. Mais, Julie, comme l'a prénommée Aubrée, suscite la convoitise des trafiquants. Pourra-t-on la ramener dans le sanctuaire des derniers gorilles des montagnes?

UNE PRODUCTION DU PÈRE CASTOR
FLAMMARION

Bibliothèque de l'Univers
Isaac Asimov

La Bibliothèque de l'Univers :
des photos surprenantes, des dessins suggestifs,
des textes vivants et parfaitement à jour qui nous éclairent
sur le passé, le présent et l'avenir de la recherche spatiale.

«Mon message, c'est que vous vous souveniez toujours que la science, si elle est bien orientée, est capable de résoudre les graves problèmes qui se posent à nous aujourd'hui. Et qu'elle peut aussi bien, si l'on en fait un mauvais usage, anéantir l'humanité. La mission des jeunes, c'est d'acquérir les connaissances qui leur permettront de peser sur l'utilisation qui en est faite.» Isaac Asimov

«Avec cette nouvelle colllection de trente-deux livres, tous les futurs conquérants de la galaxie vont s'installer en orbite autour de la planète lecture ! Isaac Asimov, un grand écrivain de science-fiction, raconte l'aventure des fusées, des satellites et des planètes. (...)
Des livres remplis d'images et de photos, indispensables pour tous les scientifiques en herbe !»

Titres parus :
- Les astéroïdes
- Les comètes ont-elles tué les dinosaures ?
- Fusées, satellites et sondes spatiales
- Guide pour observer le ciel
- La Lune
- Mars, notre mystérieuse voisine
- Notre système solaire
- Notre Voie lactée et les autres galaxies
- Pulsars, quasars et trous noirs
- Saturne et sa parure d'anneaux
- Le Soleil
- Uranus : la planète couchée
- La Terre : notre base de départ
- Y a-t-il de la vie sur les autres planètes ?
- Comment est né l'Univers ?
- Mercure : la planète rapide

A paraître :
- Les objets volants non identifiés
- Les astronomes d'autrefois
- Vie et mort des étoiles
- Jupiter : la géante tachetée
- Science-fiction et faits de science
- Les déchets cosmiques
- Pluton : une planète double
- La colonisation des planètes et des étoiles
- Comètes et météores
- La mythologie et l'Univers
- Vols spatiaux habités
- Neptune : la planète glacée
- Vénus : un mystère bien enveloppé
- Les programmes spatiaux dans le monde
- L'astronomie d'aujourd'hui
- Le génie astronomique

Demandez-les à votre libraire

Cet
ouvrage,
le trois cent
treizième
de la collection
CASTOR POCHE,
a été achevé d'imprimer
sur les presses de l'imprimerie
Brodard et Taupin
à La Flèche
en décembre
1990

Dépôt légal : janvier 1991.
Nº d'Édition : 16511. Imprimé en France.
ISBN : 2-08-162152-5
ISSN : 1147-3533
Loi nº 49-956 du 16 juillet 1949
sur les publications destinées à la jeunesse.